Muffins faits maison

Muffins faits maison

Carol Tennant

Le Courrier du Livre
21, rue de Seine
75006 Paris

Chez le même éditeur :

Cookies faits maison, Jacqueline Bellefontaine

Titre original : *Homemade Muffins*
Publié pour la première fois par MQ Publications Limited
en Grande-Bretagne

ISBN : 2-7029-0522-6

Imprimé en Italie

Ce livre est entièrement
réalisé sur du papier
recyclable

Sommaire

Introduction

Tout le monde aime les muffins faits maison. Dans cet ouvrage, vous trouverez tous les classiques, ainsi que quelques idées nouvelles. Sans que l'on sache trop pourquoi, les muffins ont la réputation d'être difficiles à préparer, mais j'espère bien que ces recettes vous démontreront qu'ils sont en réalité beaucoup plus faciles à réaliser que d'autres pâtisseries. Il suffit de mélanger l'ensemble des ingrédients secs, de faire de même avec les ingrédients liquides, puis de les ajouter aux ingrédients secs et mélanger rapidement le tout. C'est même meilleur si la pâte reste un peu grumeleuse. En outre, la préparation d'une fournée de muffins n'exige pas beaucoup de temps, ils peuvent le plus souvent être préparés, cuits et prêts pour la dégustation en une heure environ.

Les préparations rapides - c'est-à-dire les pâtes contenant un agent levant chimique comme le bicarbonate de soude à la place de la levure – sont apparues dans la cuisine américaine vers la fin dù XVIIIe siècle après la découverte de la perlasse, type de potasse raffinée qui produisait du gaz carbonique quand on la mélangeait à la pâte. Ce mélange provoquait des bulles d'air qui faisaient lever la pâte durant la cuisson. Cette découverte donna naissance à toutes sortes d'idées culinaires, parmi lesquelles les muffins. Depuis le milieu du XIXe siècle, la perlasse est remplacée par le bicarbonate de soude, plus facile et moins cher à produire.

Aujourd'hui, la gamme d'ingrédients disponible est vaste, de même que les combinaisons possibles. Dans ce livre, vous trouverez des muffins pour tous les goûts: le muffin traditionnel au son comme le muffin plus inhabituel au miel et aux pistaches, et toutes sortes de muffins au chocolat, qu'ils soient au "chocolat double", ou au fudge chocolaté, jusqu'aux muffins à la banane et aux noix et au chocolat.

Essayez donc un de vos muffins favoris, ou mieux encore, inventez-en un.

Conseils pour réussir vos muffins

Préparation

La plupart des muffins présentés dans cet ouvrage sont préparés selon la même méthode: mélangez tous les ingrédients secs dans un récipient, mélangez tous les ingrédients liquides dans un autre récipient, puis ajoutez-les aux ingrédients secs et mélangez rapidement. Cela signifie que les ingrédients doivent être à peine incorporés. Si quelques grumeaux de farine apparaissent dans votre pâte, eh bien, c'est tant mieux! Un mélange excessif ne ferait que durcir la pâte des muffins, qui perdraient alors leur légèreté et leur texture moelleuse.

Comme la levure chimique commence à agir dès qu'elle s'humidifie, la plupart des muffins doivent être cuits immédiatement après la préparation de la pâte, qui lèvera mieux et sera plus légère.

La cuisson

Les temps de cuissons sont donnés à titre indicatif, car certains fours chauffent plus rapidement que d'autres. La qualité de la plaque à muffins, la taille des muffins, et la température de la pâte au moment de la mettre au four affectent également le temps de cuisson, tout comme l'altitude du lieu. Dans toutes les recettes, les muffins sont cuits lorsqu'ils ont bien levé, qu'ils sont dorés et que leur surface est bien moelleuse sous le doigt.

Ingrédients de base

Un muffin se compose d'un mélange de farine, de sucre, d'agent levant, de matière grasse et de liquide. On utilise souvent un liquide acide du type yaourt ou crème liquide. La levure chimique agit sur ces liquides pour donner une meilleure levée de la pâte, ce qui compense l'effet de certains ingrédients, comme par exemple la farine complète ou les flocons d'avoine, qui ont tendance à alourdir les muffins. Les aromatisants peuvent être de toutes sortes, qu'il s'agisse d'épices, de fruits, de chocolats ou de fruits oléagineux - ou même une combinaison des quatre. Bon nombre des recettes peuvent être réalisées avec des ingrédients qui se trouvent déjà dans votre cuisine.

Toutes les mesures doivent être pratiquées avec précision. Les œufs utilisés sont toujours de taille moyenne.

Matériel

Plaques à muffins : En France, on trouve des plaques à muffins, comportant habituellement 6 ou 12 trous, dans les grands magasins et les magasins spécialisés. Toutes les recettes du livre sont données pour 12 muffins, sauf indication contraire. Choisissez des plaques en métal très épais dotées de préférence d'un revêtement antiadhésif. Vous pouvez aussi utiliser des moules en papier pour garnir les trous; ils facilitent le démoulage des muffins et le nettoyage des plats. Il existe également des moules à muffins en silicone qui supportent les hautes températures et ont d'excellentes propriétés antiadhésives. Leur flexibilité permet aux muffins de bien gonfler. L'inconvénient, c'est qu'ils sont chers et que certains modèles doivent être placés sur une plaque à pâtisserie. Toutefois, la plupart sont garantis à vie, ceci est à considérer.

Pour graisser et foncer les plaques

Utilisez de l'huile végétale ou du beurre. Veillez à ne pas en mettre trop pour éviter aux muffins de frire au lieu de cuire.

Conservation

La plupart des muffins se conservent bien si on les place dans un récipient hermétiquement clos et dans un endroit frais. D'une manière générale, ils se conservent trois ou quatre jours.

Congélation

Tous les muffins de ce livre peuvent être congelés, sauf indication contraire. Ne congelez pas les muffins qui ont été glacés ou décorés, mais vous pouvez les congeler puis les décongeler avant glaçage ou décoration. Les muffins doivent être congelés dans des sacs à congélation à fermeture à glissière, en marquant clairement la date dessus. Vous pouvez les conserver jusqu'à trois mois. Laissez-les décongeler complètement à température ambiante.

CHAPITRE 1

Muffins aux fruits

Muffins au son et aux raisins secs

C'est la recette classique des muffins au son et aux raisins secs. La pâte peut être préparée à l'avance et conservée au réfrigérateur jusqu'à deux semaines. Vous pourrez ainsi faire cuire quelques muffins frais chaque jour pour votre petit-déjeuner ou pour vos paniers-repas. Les proportions peuvent être divisées par deux.

Pour 36 muffins

225 ml d'eau bouillante
5 cuillerées à café de bicarbonate de soude
225 g de graisse végétale
450 g de sucre semoule
2 œufs, légèrement battus
2 cuillerées à soupe de mélasse
750 g de farine
300 g de céréales All-Bran
100 g de flocons de son
300 g de raisins secs
1 cuillerée à soupe de sel
900 ml de crème liquide

1. Préchauffez le four à 200°. Graissez autant de moules de la plaque à muffins que vous le souhaitez (jusqu'à 36), ou garnissez la plaque de moules en papier.

2. Dans un très grand récipient, versez l'eau bouillante sur le bicarbonate de soude. Remuez jusqu'à dissolution du bicarbonate, puis laissez refroidir. Dans un autre récipient, battez la graisse végétale et le sucre jusqu'à obtention d'un mélange mousseux, incorporez les œufs peu à peu, puis la mélasse.

3. Dans un autre récipient, mélangez la farine, les céréales All-Bran, les flocons de son, les raisins secs et le sel.

4. Ajoutez la crème liquide au mélange à base de bicarbonate de soude. Ajoutez d'abord la moitié du mélange des autres ingrédients liquides (voir 2) et des ingrédients secs à la préparation. Ajoutez les deux autres moitiés, en mélangeant rapidement.

5. A l'aide d'une cuillère à soupe, versez la pâte de manière égale sur la plaque et laissez cuire jusqu'à ce que les muffins aient levé et soient fermes (environ 20 minutes). Laissez refroidir sur la plaque 10 minutes, puis placez les muffins sur une grille de cuisson. Servez chaud ou froid, nappé d'un peu de beurre.

Muffins au son et aux dattes

Préparez la pâte de ces muffins la veille, car elle doit reposer un jour entier.

Pour 12 muffins

300 g de farine
1 cuillerée à café de bicarbonate de soude
1 cuillerée à café de cannelle en poudre
125 g de sucre semoule
80 g de son de blé
120 g de dattes dénoyautées, finement hachées, 125 ml de crème liquide
175 ml de lait, 50 ml de d'huile végétale
1 œuf, légèrement battu

1. Dans un grand récipient, mélangez la farine, le bicarbonate de soude, la cannelle et le sucre. Ajoutez le son et les dattes, et mélangez bien. Dans un petit récipient, mélangez la crème liquide, le lait, l'huile et l'œuf, puis ajoutez le tout aux ingrédients secs. Mélangez rapidement, puis couvrez et placez au réfrigérateur pour la nuit.

2. Le lendemain, préchauffez le four à 200°. Graissez une plaque à muffins de 12 moules, ou garnissez la plaque de moules en papier.

3. A l'aide d'une cuillère à soupe, versez la pâte de manière égale sur la plaque et laissez cuire jusqu'à ce que les muffins aient levé et soient fermes (environ 20 minutes). Laissez refroidir sur la plaque 10 minutes, puis placez les muffins sur une grille de cuisson. Servez chaud ou froid.

Muffins aux amandes et à la rhubarbe

L'association rhubarbe et amandes est un classique. Ces muffins seront également très savoureux avec des fraises fraîches hachées à la place des prunes.

Pour 12 muffins

275 g de rhubarbe, pelée
300 g de farine
50 g d'amandes blanchies et hachées
1 cuillerée à café de levure chimique
1 cuillerée à café de bicarbonate de soude
1/2 cuillerée à café de noix de muscade râpée
1/2 cuillerée à café de sel
1/2 cuillerée à café de cannelle en poudre
200 g de sucre brun
300 ml de crème liquide
125 ml d'huile végétale
1 œuf, légèrement battu
1 cuillerée à soupe d'extrait de vanille
100 g de prunes, dénoyautées et hachées

1. Préchauffez le four à 190°. Graissez une plaque à muffins de 12 moules, ou garnissez la plaque de moules en papier.

2. Lavez les tiges de rhubarbe, hachez-les grossièrement et mettez de côté. Dans un grand récipient, mélangez la farine, les amandes, la levure chimique, le bicarbonate de soude, la noix de muscade, le sel, la cannelle et le sucre.

3. Dans un autre récipient, mélangez le sucre brun, la crème liquide, l'huile, l'œuf et l'extrait de vanille. Ajoutez le tout au mélange à base de farine et mélangez rapidement. Incorporez la rhubarbe et les prunes.

4. A l'aide d'une cuillère à soupe, versez la pâte de manière égale sur la plaque et laissez cuire jusqu'à ce que les muffins aient levé et soient fermes (18 à 20 minutes). Laissez refroidir sur la plaque 5 minutes, puis placez les muffins sur une grille de cuisson. Servez chaud ou froid.

Muffins aux pommes, au fromage et aux flocons d'avoine

Cette association inhabituelle est tout simplement délicieuse. Essayez donc ces muffins savoureux et sains au petit-déjeuner.

Pour 12 muffins

225 g de son d'avoine
75 g de farine complète
50 g de sucre brun
1 1/2 cuillerée à café de levure chimique
1 cuillerée à café de cannelle en poudre
1/2 cuillerée à café de sel
125 ml de jus de pommes
50 ml de lait écrémé
1 œuf, légèrement battu
2 cuillerées à soupe d'huile végétale légère
2 cuillerées à soupe de miel
1 pomme moyenne, épluchée et coupée en dés
75 g de fromage cheddar, coupé en petits cubes
3 cuillerées à soupe de flocons d'avoine

1. Préchauffez le four à 200°. Graissez une plaque à muffins de 12 moules, ou garnissez la plaque de moules en papier.

2. Dans un grand récipient, mélangez le son d'avoine, la farine, le sucre brun, la levure chimique, la cannelle et le sel. Dans un autre récipient, mélangez le jus de pommes, le lait, l'œuf et le miel. Ajoutez les ingrédients liquides aux ingrédients secs, puis les morceaux de pommes et de fromage, et mélangez rapidement.

3. A l'aide d'une cuillère à soupe, versez la pâte de manière égale sur la plaque, saupoudrez de flocons d'avoine et laissez cuire jusqu'à ce que les muffins aient levé et soient fermes (environ 20 minutes). Laissez refroidir sur la plaque 10 minutes, puis placez les muffins sur une grille de cuisson. Servez chaud ou froid.

Muffins à la farine complète, à la banane et aux noix

Dans cette recette, la farine complète exalte le goût de la noix.

Pour 12 muffins

150 g de farine complète à gâteaux
150 g de farine à gâteaux
2 cuillerées à soupe de sucre brun
60 g de noix hachées
3 grosses bananes bien mûres
50 ml d'huile végétale
2 œufs, légèrement battus
80 ml de crème aigre
2 cuillerées à soupe de miel

1. Préchauffez le four à 200°. Graissez une plaque à muffins de 12 moules, ou garnissez la plaque de moules en papier.

2. Dans un grand récipient, mélangez les farines, ajoutez le sucre brun et les noix, puis mélangez bien. Dans un autre récipient, réduisez les bananes en purée, puis incorporez l'huile, les œufs, la crème aigre et le miel. Ajoutez d'un seul coup les ingrédients liquides aux ingrédients secs et mélangez rapidement. A l'aide d'une cuillère à soupe, versez la pâte de manière égale sur la plaque, et laissez cuire jusqu'à ce que les muffins aient levé et soient fermes (environ 20 minutes).

3. Laissez refroidir sur la plaque 10 minutes, puis placez les muffins sur une grille de cuisson. Servez chaud ou froid.

Muffins à la poire et aux noix
(avec une sauce butterscotch)

Pour 12 muffins

300 g de farine
2 cuillerées à café de levure chimique
1/2 cuillerée à café de bicarbonate de soude, 225 g de sucre semoule
1/2 cuillerée à café de sel
1 cuillerée à café de cannelle en poudre
1 cuillerée à café de cardamome en poudre, 2 œufs, légèrement battus
175 ml de crème aigre
175 g de beurre fondu
3 boîtes de moitiés de poires, égouttées et coupées en dés
65 g de noix grossièrement hachées

Pour la sauce butterscotch :
200 g de sucre brun
125 g de beurre
4 cuillerée à soupe de crème fouettée

1. Préchauffez le four à 200°. Graissez une plaque à muffins de 12 moules, ou garnissez la plaque de moules en papier.

2. Dans un grand récipient, mélangez la farine, la levure chimique, le bicarbonate de soude, le sucre, le sel, la cannelle et la cardamome.

3. Dans un autre récipient, battez les œufs, la crème aigre et le beurre fondu. Ajoutez les ingrédients liquides aux ingrédients secs, puis les poires et les noix et mélangez rapidement.

4. A l'aide d'une cuillère à soupe, versez la pâte de manière égale sur la plaque et laissez cuire jusqu'à ce que les muffins aient levé et soient fermes (20 à 25 minutes).

5. Pendant ce temps, pour la sauce, mettez le sucre brun et le beurre dans une casserole et chauffez sur feu trés doux jusqu'à ce que le beurre fonde et que le sucre se dissolve ; ne faites pas bouillir. Retirez du feu et ajoutez la crème fouettée. Mélangez bien et tenez au chaud.

6. Quand les muffins sont cuits, laissez-les reposer sur la plaque 10 minutes, puis servez-les chauds et arrosés de sauce.

Muffins à la compote de pommes nappés de muesli

Ces muffins à la compote de pommes et au muesli sont très faciles à préparer.

Pour 12 muffins

300 g de farine
100 g de sucre brun
1 cuillerée à café de levure chimique
1/2 cuillerée à café de bicarbonate de soude
1/2 cuillerée à café de sel
1/2 cuillerée à café de cannelle en poudre
1/2 cuillerée à café de noix de muscade râpée
4 cuillerées à soupe de beurre, fondu
300 g de compote de pommes
50 ml de lait
1 œuf, légèrement battu
75 g de muesli

1. Préchauffez le four à 220°. Graissez une plaque à muffins de 12 moules, ou garnissez la plaque de moules en papier.

2. Dans un grand récipient, mélangez la farine, le sucre brun, la levure chimique, le bicarbonate de soude, la noix de muscade, le sel et la cannelle. Dans un autre récipient, mélangez le beurre, la compote de pommes, le lait et l'œuf. Ajoutez les ingrédients liquides aux ingrédients secs, et mélangez rapidement. A l'aide d'une cuillère à soupe, versez la pâte de manière égale sur la plaque.

3. Placez le muesli dans un récipient et, à l'aide du dos d'une cuillère ou de l'extrémité d'un rouleau à pâtisserie, écrasez-le légèrement en petits morceaux réguliers. Saupoudrez-les de manière égale sur la pâte à muffin.

4. Laissez cuire jusqu'à ce que les muffins aient levé et soient fermes (15 à 20 minutes). Laissez refroidir sur la plaque 10 minutes, puis placez les muffins sur une grille de cuisson. Servez chaud ou froid.

Muffins aux framboises et au cheesecake

Si vous voulez, vous pouvez remplacer les framboises par d'autres fruits comme les fraises ou les myrtilles.

Pour 12 muffins

Pour le cheesecake :
150 g de fromage blanc crémeux
160 g de sucre semoule
1 œuf, 1 cuillerée à café d'extrait de vanille

Pour la pâte à muffin :
225 ml de lait, 6 cuillerées à soupe de beurre, 1 cuillerée à café d'extrait de vanille, 2 œufs, légèrement battus
225 g de farine, 125 g de sucre semoule
2 cuillerées à café de levure chimique
1/2 cuillerée à café de sel
100 g de framboises fraîches ou surgelées

1. Préchauffez le four à 200°. Graissez une plaque à muffins de 12 moules, ou garnissez la plaque de moules en papier.

2. Pour le cheesecake, placez dans un récipient le fromage blanc, le sucre, l'œuf et l'extrait de vanille et mélangez bien. Mettez de côté.

3. Pour la pâte, mettez dans une casserole le lait, le beurre et l'extrait de vanille et remuez à feu doux jusqu'à ce que le beurre soit fondu. Retirez du feu et laissez refroidir. Incorporez les œufs.

4. Dans un grand récipient, mélangez la farine, le sucre, la levure chimique et le sel. Ajoutez le mélange à base de lait et remuez rapidement. Incorporez les framboises.

5. A l'aide d'une cuillère à soupe, versez la pâte de manière égale sur la plaque. Garnissez chaque muffin de 2 cuillerées à café du mélange à base de fromage blanc et tracez légèrement un rond sur la pâte avec un couteau. Faites cuire jusqu'à ce que la surface soit bien moelleuse sous le doigt (environ 20 minutes). Laissez refroidir sur la plaque 10 minutes, puis placez les muffins sur une grille de cuisson. Servez chaud ou froid.

Muffins aux noix de pécan, à la canneberge et à la cannelle

Ces muffins sont également très savoureux avec des raisins secs moelleux à la place des canneberges.

Pour 12 muffins

300 g de farine
100 g de sucre brun
50 g de sucre cristallisé
2 cuillerées à café de levure chimique
1 cuillerée à café de sel
1 cuillerée à café de cannelle en poudre
275 ml de lait
125 ml d'huile végétale
1 œuf, légèrement battu
150 g de canneberges séchées
50 g de noix de pécan hachées

1. Préchauffez le four à 180°. Graissez une plaque à muffins de 12 moules, ou garnissez la plaque de moules en papier.

2. Dans un récipient moyen, mélangez la farine, les sucres, la levure chimique, le sel et la cannelle. Dans un autre récipient, mélangez le lait, l'huile et l'œuf.

3. Ajoutez les ingrédients liquides aux ingrédients secs, et mélangez rapidement. Incorporez les canneberges et les noix de pécan.

4. A l'aide d'une cuillère à soupe, versez la pâte de manière égale sur la plaque et laissez cuire jusqu'à ce que les muffins aient levé et soient fermes (environ 25 minutes). Laissez refroidir sur la plaque 5 minutes, puis placez les muffins sur une grille de cuisson 10 minutes. Servez chaud ou froid.

Muffins aux abricots, à la vanille et au citron

Ce sont là des muffins classiques, au délicieux arôme de vanille fraîche. Si vous n'avez pas de gousse de vanille, ajoutez 1 cuillerée à café d'un extrait de vanille de bonne qualité aux ingrédients liquides, et ajoutez le sucre aux ingrédients secs.

Pour 12 muffins

1/2 gousse de vanille
225 g de sucre semoule
300 g de farine
1 cuillerée à café de levure chimique
1/2 cuillerée à café de sel
125 g de beurre
100 g d'abricots secs hachés
le zeste finement râpé d'1 citron
1 œuf, légèrement battu
225 ml de lait

1. Préchauffez le four à 200°. Graissez une plaque à muffins de 12 moules, ou garnissez la plaque de moules en papier.

2. Placez la gousse de vanille et le sucre dans un mixer ou un robot culinaire, et broyez jusqu'à ce que la gousse de vanille soit très finement hachée. Dans un grand récipient, mélangez la farine, la levure chimique et le sel, puis incorporez la vanille hachée.

3. Ajoutez le beurre et mélangez du bout des doigts jusqu'à ce que la préparation soit grumeleuse. Incorporez les abricots secs et le zeste de citron.

4. Mélangez l'œuf et le lait et ajoutez à la préparation. Mélangez rapidement.

5. A l'aide d'une cuillère à soupe, versez la pâte de manière égale sur la plaque et laissez cuire jusqu'à ce que les muffins aient levé et soient fermes (environ 20 à 25 minutes). Laissez refroidir sur la plaque 10 minutes, puis placez les muffins sur une grille de cuisson. Servez chaud ou froid.

Muffins à l'orange et à la canneberge

Cette association classique est enrichie de noix de pécan hachées pour donner aux muffins une texture et un croustillant agréables.

Pour 12 muffins

300 g de farine
225 g de sucre semoule
1 cuillerée à café de levure chimique
1/2 cuillerée à café de sel
125 g de canneberges fraîches ou surgelées (dans ce cas les décongeler), grossièrement hachées
le zeste finement râpé d'1 orange
2 cuillerées à soupe de noix de pécan hachées
1 œuf, légèrement battu
225 ml de lait
3 cuillerées à soupe de beurre fondu

1. Préchauffez le four à 230°. Graissez une plaque à muffins de 12 moules, ou garnissez la plaque de moules en papier.

2. Dans un grand récipient, mélangez la farine, le sucre, la levure chimique et le sel. Incorporez les canneberges, le zeste d'orange et les noix de pécan.

3. Dans un autre récipient, mélangez l'œuf, le lait et le beurre. Ajoutez aux ingrédients secs et mélangez rapidement.

4. A l'aide d'une cuillère à soupe, versez la pâte de manière égale sur la plaque et laissez cuire jusqu'à ce que les muffins aient levé et soient fermes (18 à 20 minutes). Laissez refroidir sur la plaque 5 minutes, puis placez les muffins sur une grille de cuisson. Servez chaud ou froid.

Muffins aux pêches et au basilic

Cette recette donne les meilleurs résultats avec des pêches fraîches de saison. Cependant, si vous voulez préparer ces muffins hors saison, choisissez des pêches en conserve, que vous égoutterez soigneusement.

Pour 12 muffins

2 pêches bien mûres, épluchées et dénoyautées
2 cuillerées à soupe de basilic frais haché
3 cuillerées à soupe de sucre brun
le zeste râpé et le jus d'un 1 citron
300 g de farine à gâteaux
1/2 cuillerée à café de levure chimique
4 cuillerées à soupe de beurre
80 g de sucre cristallisé
1 œuf, légèrement battu
150 ml de lait

1. Coupez les pêches en petits dés, puis placez-les dans un récipient avec le basilic, le sucre brun et le jus de citron. Laissez reposer pendant environ 30 minutes.

2. Préchauffez le four à 200°. Graissez une plaque à muffins de 12 moules, ou garnissez la plaque de moules en papier.

3. Dans un grand récipient, mélangez la farine et la levure chimique. Incorporez le beurre jusqu'à ce que cette préparation soit grumeleuse. Incorporez le sucre cristallisé et le zeste de citron.

4. Dans un autre récipient, mélangez l'œuf et le lait. Ajoutez à la préparation en versant alternativement ce mélange et les pêches.

5. A l'aide d'une cuillère à soupe, versez la pâte de manière égale sur la plaque et laissez cuire jusqu'à ce que les muffins aient levé et soient fermes (environ 20 minutes). Laissez refroidir sur la plaque 10 minutes, puis placez les muffins sur une grille de cuisson. Servez chaud ou froid.

Muffins aux cerises confites et à la noix de coco

N'utilisez pas de cerises fraîches car elles rendent la pâte trop liquide. Pour cette recette, Il est préférable d'utiliser une plaque à muffins antiadhésive plutôt que des moules en papier.

Pour 12 muffins

300 g de farine à gâteaux
4 g de margarine ramollie
150 g de cerises confites hachées
100 g de flocons de noix de coco
1 cuillerée à soupe de sucre semoule
1/2 cuillerée à café de sel
2 œufs, légèrement battus
225 ml de lait

1. Préchauffez le four à 200°. Graissez une plaque à muffins antiadhésive de 12 moules.

2. Placez la farine dans un récipient avec la margarine et mélangez à la fourchette jusqu'à consistance homogène. Incorporez les cerises, la noix de coco, le sucre et le sel, et mélangez bien.

3. Dans un autre récipient, battez les œufs et le lait jusqu'à ce qu'ils soient bien mélangés, puis ajoutez cette préparation aux ingrédients secs. Mélangez rapidement.

4. A l'aide d'une cuillère à soupe, versez la pâte de manière égale sur la plaque et laissez cuire jusqu'à ce que les muffins aient levé et soient fermes (environ 15 à 20 minutes). Laissez refroidir sur la plaque 10 minutes, puis placez les muffins sur une grille de cuisson. Servez chaud ou froid.

Muffins aux myrtilles

Quelqu'un a dit un jour: "Quand un homme est las des muffins aux myrtilles, c'est qu'il est las de la vie."

Pour 12 muffins

300 g de farine à gâteaux
1 cuillerée à café de bicarbonate de soude
4 cuillerées à soupe de beurre
80 g de sucre semoule
150 g de myrtilles fraîches
2 œufs, légèrement battus
225 ml de lait
1 cuillerée à café d'extrait de vanille

1. Préchauffez le four à 200°. Graissez une plaque à muffins de 12 moules, ou garnissez la plaque de moules en papier.

2. Dans un grand récipient, mélangez la farine et la levure chimique. Incorporez le beurre jusqu'à ce que cette préparation soit grumeleuse. Incorporez le sucre et les myrtilles.

3. Dans un petit récipient, battez soigneusement les œufs, le lait et la vanille. Versez ce mélange d'un seul coup sur les ingrédients secs. Mélangez rapidement.

4. A l'aide d'une cuillère à soupe, versez la pâte de manière égale sur la plaque et laissez cuire jusqu'à ce que les muffins aient levé et soient fermes (environ 25 minutes). Laissez refroidir sur la plaque 10 minutes, puis placez les muffins sur une grille de cuisson. Servez chaud ou froid.

Muffins aux prunes et à la pâte d'amandes

La pâte d'amandes se ramollit et fond un peu durant la cuisson de ces muffins. Son association avec les prunes fraîches et acidulées donne un résultat fabuleux.

Pour 12 muffins

150 g de farine
150 g de farine complète
100 g de flocons d'avoine
2 cuillerées à café de levure chimique
1/2 cuillerée à café de sel
50 g de son de blé
150 g de sucre brun
250 g de prunes non épluchées et hachées, 175 ml de jus d'orange
125 ml d'huile végétale
2 œufs, légèrement battus
le zeste finement râpé d'une orange
100 g de pâte d'amandes, coupée en petits cubes, 100 g d'amandes éffilées

1. Préchauffez le four à 180°. Graissez une plaque à muffins de 12 moules, ou garnissez la plaque de moules en papier.

2. Dans un grand récipient, mélangez la farine, les flocons d'avoine, la levure chimique, le sel, le son et le sucre brun. Dans un autre récipient, mélangez les prunes, le jus d'orange, l'huile, les œufs et le zeste d'orange.

3. Ajoutez les ingrédients liquides aux ingrédients secs, puis la pâte d'amandes et les amandes, et mélangez rapidement.

4. A l'aide d'une cuillère à soupe, versez la pâte de manière égale sur la plaque et laissez cuire jusqu'à ce que les muffins aient levé et soient fermes (environ 30 minutes). Laissez refroidir sur la plaque 10 minutes, puis placez les muffins sur une grille de cuisson. Servez chaud ou froid.

Muffins aux clémentines

Si les clémentines fraîches ne sont pas disponibles, utilisez une petite boîte de quartiers de mandarines, bien égouttées et coupées en morceaux.

Pour 12 muffins

300 g de farine
2 cuillerées à café de levure chimique
1/2 cuillerée à café de sel
1/4 cuillerée à café de piment de la Jamaïque
1/4 cuillerée à café de noix de muscade en poudre
125 g de sucre semoule
60 g de margarine ou de beurre
1 œuf, légèrement battu
200 ml de lait
3 clémentines hachées

Pour la garniture (facultatif):
65 g de sucre semoule
1/2 cuillerée à café de cannelle en poudre
4 cuillerées à soupe de beurre fondu

1. Préchauffez le four à 180°. Graissez une plaque à muffins de 12 moules, ou garnissez la plaque de moules en papier.

2. Dans un grand récipient, mélangez la farine, la levure chimique, le sel, les épices et le sucre. Incorporez la margarine ou le beurre.

3. Dans un autre récipient, mélangez l'œuf et le lait, puis ajoutez d'un seul coup aux ingrédients secs. Mélangez rapidement. Incorporez les morceaux de clémentines.

4. A l'aide d'une cuillère à soupe, versez la pâte de manière égale sur la plaque et laissez cuire jusqu'à ce que les muffins aient levé et soient fermes (environ 20 à 25 minutes). Pendant ce temps, préparez la garniture: mélangez le sucre et la cannelle et mettez de côté. Retirez les muffins encore chauds de la plaque. Plongez le dessus des muffins dans le beurre fondu, puis dans le sucre à la cannelle. Laissez refroidir pendant 10 minutes.

Muffins fourrés à la confiture de cerises amères

Si vous n'avez pas de cerises fraîches, prenez des cerises en conserve ou des cerises dénoyautées en bocal. Si nécessaire, égouttez-les bien.

Pour 12 muffins

300 g de farine
1 cuillerée à café de levure chimique
1/2 cuillerée à café de bicarbonate de soude, 1/2 cuillerée à café de sel
1/2 cuillerée à café de cardamome en poudre, 125 g de sucre semoule
150 g de cerises fraîches, dénoyautées et grossièrement hachées
4 cuillerées à soupe de beurre fondu
1 œuf, légèrement battu
225 ml de crème aigre
1/2 cuillerée à café d'extrait de vanille
3 cuillerées à soupe de confiture de cerises amères, 3 cuillerées à soupe d'éclats d'amandes

1. Préchauffez le four à 200°. Graissez une plaque à muffins de 12 moules, ou garnissez la plaque de moules en papier.

2. Dans un grand récipient, mélangez la farine, la levure chimique, le bicarbonate de soude, le sel et la cardamome. Ajoutez le sucre et les cerises et mélangez bien.

3. Dans un autre récipient, battez ensemble le beurre, l'œuf, la crème aigre et l'extrait de vanille. Versez les ingrédients liquides dans le mélange à base de farine et mélangez rapidement.

4. A l'aide d'une cuillère à soupe, versez la moitié de la pâte de manière égale dans les moules de la plaque. Ajoutez environ 1 cuillerée à café de confiture de cerises amères dans chaque moule, puis recouvrez avec le reste de la pâte. Saupoudrez d'amandes. Laissez cuire jusqu'à ce que les muffins aient levé et soient dorés (environ 20 minutes).

5. Laissez refroidir sur la plaque 10 minutes, puis placez les muffins sur une grille de cuisson. Servez chaud ou froid.

Muffins épicés à l'orange caramélisée

Cette recette est un peu plus difficile que d'autres, mais le jeu en vaut la chandelle! Essayez donc ces muffins à Noël, quand les arômes de leur cuisson embaumeront toute votre maison.

Pour 12 muffins

1 grosse orange
125 g de sucre semoule
2 cuillerées à soupe d'eau
340 g de farine à gâteaux
1 cuillerée à café de levure chimique
1/2 cuillerée à café de cannelle en poudre
1/4 cuillerée à café de clous de girofle en poudre
1/4 cuillerée à café de piment de la Jamaïque en poudre
une pincée de sel
4 cuillerées à soupe de beurre
80 g de sucre semoule, 65 g de pistaches hachées, 2 œufs, légèrement battus
225 ml de lait

1. Préchauffez le four à 200°. Graissez une plaque à muffins de 12 moules, ou garnissez la plaque de moules en papier.

2. Pour faire l'orange caramélisée, enlevez la peau et émincez-la en fines lanières dépourvues de peau blanche avec un couteau pointu. Travaillez au-dessus d'un récipient pour recueillir le jus. Passez un couteau tranchant de part et d'autre des membranes qui séparent les quartiers. Hachez grossièrement les quartiers d'orange et placez-les dans le récipient. Mettez de côté.

3. Dans une petite casserole, mélangez le sucre et l'eau jusqu'à dissolution du sucre, en éliminant tous les cristaux de sucre qui resteraient collés sur la paroi de la casserole. Si nécessaire, nettoyez la casserole avec un pinceau trempé dans l'eau. Augmentez le feu et portez à ébullition. Laissez bouillir 7 à 10 minutes ou jusqu'à ce que le sucre soit caramélisé (Laissez le caramel noircir autant que possible, mais en évitant qu'il ne brûle). Retirez du feu et, en prenant soin d'éviter les éclaboussures, ajoutez les quartiers d'orange et tout le jus. Prenez garde: la préparation bouillonnera fortement. Laissez refroidir, puis égouttez les quartiers d'orange, en réservant 175 ml du sirop.

4. Dans un grand récipient, mélangez la farine, la levure chimique, les épices et le sel. Incorporez le beurre jusqu'à ce que la préparation soit grumeleuse, puis incorporez soigneusement le sucre et les pistaches.

5. Dans un petit récipient, battez ensemble les œufs et le lait, puis versez ce mélange d'un seul coup sur les ingrédients secs. Ajoutez les morceaux d'orange égouttés et mélangez rapidement. A l'aide d'une cuillère à soupe, versez la pâte de manière égale sur la plaque.

6. Laissez cuire jusqu'à ce que les muffins aient levé et soient dorés (18 à 20 minutes). Retirez du four et, à l'aide d'une cuillère, versez le sirop d'orange réservé sur les muffins chauds. Laissez-les refroidir sur la plaque 10 minutes. Servez chaud ou froid.

Muffins aux fruits tropicaux
(avec glaçage aux fruits de la passion)

Note: ces muffins ne doivent pas être congelés.

Pour 12 muffins

1 petite mangue, bien mûre
300 g de farine
4 cuillerées à café de levure chimique
1/2 cuillerée à café de sel
225 g de sucre semoule
50 g de flocons de noix de coco
50 ml d'huile végétale
225 ml de lait
1 œuf, légèrement battu
215 g de morceaux d'ananas en boîte au naturel, égouttés
4 fruits de la passion bien mûrs
4 cuillerées à soupe de sucre semoule

1. Préchauffez le four à 200°. Graissez une plaque à muffins de 12 moules, ou garnissez la plaque de moules en papier.

2. Epluchez la mangue et détachez la chair du noyau. Réduisez la chair en purée dans un robot culinaire. Mettez de côté.

3. Dans un grand récipient, mélangez la farine, la levure chimique, le sel et le sucre. Incorporez la noix de coco. Dans un autre récipient, mélangez l'huile, le lait et l'œuf. Ajoutez les ingrédients liquides aux ingrédients secs et mélangez rapidement. Incorporez les morceaux de mangue et d'ananas.

4. A l'aide d'une cuillère à soupe, versez la pâte de manière égale sur la plaque et laissez cuire jusqu'à ce que les muffins aient levé et soient fermes (15 à 18 minutes).

5. Pendant ce temps, évidez la chair et les graines des fruits de la passion et recueillez le jus dans une petite casserole en pressant le tout à travers une passoire. Ajoutez le sucre et remuez bien à feu doux jusqu'à complète dissolution. Augmentez le feu et portez à ébullition. Laissez cuire 3 minutes ou jusqu'à obtention d'une consistance sirupeuse. Retirez du feu.

6. Retirez les muffins du four et, à l'aide d'une cuillère, nappez-les de sirop de fruits de la passion pendant qu'ils sont encore chauds. Laissez refroidir sur la plaque. Servez chaud ou à peine refroidi.

Muffins aux pommes, aux carottes et à la noix de coco

Une combinaison inhabituelle qui donne des muffins très moelleux. Vous trouverez des pommes séchées dans les magasins d'alimentation naturelle et dans la plupart des hypermarchés.

Pour 12 muffins

150 g de farine complète
150 g de farine
175 g de sucre
2 cuillerées à café de levure chimique
1 cuillerée à café de cannelle en poudre
1/2 cuillerée à café de bicarbonate de soude
200 g de carottes finement râpées
100 g de pommes séchées, hachées
75 g de raisins secs
50 g de noix hachées
50 g de flocons de noix de coco
2 œufs, légèrement battus
125 ml de crème liquide
125 ml de lait
2 cuillerées à café d'extrait de vanille

1. Préchauffez le four à 180°. Graissez une plaque à muffins de 12 moules, ou garnissez la plaque de moules en papier.

2. Dans un grand récipient, mélangez les farines, le sucre, la levure chimique, la cannelle et le bicarbonate de soude. Incorporez les carottes, les pommes, les raisins secs, les noix et les noix de coco.

3. Dans un autre récipient, mélangez les œufs, la crème liquide, le lait et l'extrait de vanille. Ajoutez d'un seul coup les ingrédients liquides aux ingrédients secs, et mélangez rapidement. A l'aide d'une cuillère à soupe, versez délicatement la pâte de manière égale sur la plaque.

4. Laissez cuire jusqu'à ce que les muffins aient levé et soient fermes (20 à 25 minutes). Laissez refroidir sur la plaque 10 minutes, puis placez les muffins sur une grille de cuisson. Servez chaud ou froid.

Muffins aux dattes, aux bananes et aux noisettes

Pour faire griller les noisettes, ou tout autre fruit oléagineux, disposez-les sur une plaque à pâtisserie et mettez-la dans un four chaud environ 5 minutes (moins longtemps pour de petites noisettes, 1 ou 2 minutes de plus pour des noisettes plus grosses) jusqu'à ce qu'elles soient dorées et odorantes.

Pour 12 muffins

300 g de farine à gâteaux
2 cuillerées à soupe de sucre brun
50 g de noisettes grillées et hachées
3 grosses bananes bien mûres
50 ml d'huile végétale
2 œufs, légèrement battus
80 ml de yaourt nature
2 cuillerées à soupe de sucre Demerara

1. Préchauffez le four à 200°. Graissez une plaque à muffins de 12 moules, ou garnissez la plaque de moules en papier.

2. Dans un grand récipient, mélangez la farine, le sucre brun et les noisettes.

3. Dans un autre récipient, réduisez les bananes en purée, puis incorporez l'huile, les œufs et le yaourt. Ajoutez les ingrédients liquides aux ingrédients secs d'un seul coup, et mélangez rapidement.

4. A l'aide d'une cuillère à soupe, versez la pâte de manière égale sur la plaque et saupoudrez de sucre Demerara. Laissez cuire jusqu'à ce que les muffins aient levé et soient fermes (environ 20 minutes). Laissez refroidir sur la plaque 10 minutes, puis placez les muffins sur une grille de cuisson. Servez chaud ou froid.

Muffins au fromage blanc et aux raisins secs

Un mélange inhabituel sucré-salé qui se révèle particulièrement harmonieux et donne des muffins très moelleux.

Pour 12 muffins

300 g de farine
375 g de céréales All-Bran
175 g de sucre semoule
1 cuillerée à café de levure chimique
1/2 cuillerée à café de bicarbonate de soude
1 cuillerée à café de cannelle en poudre
1 cuillerée à café de zeste d'orange finement râpé
1/2 cuillerée à café de sel
250 g de fromage blanc
225 ml de yaourt nature
2 cuillerées à soupe de miel
4 cuillerées à soupe de beurre fondu
2 œufs, légèrement battus
100 g de carottes râpées
75 g de raisins secs

1. Préchauffez le four à 200°. Graissez une plaque à muffins de 12 moules, ou garnissez la plaque de moules en papier.

2. Dans un grand récipient, mélangez la farine, les céréales All-Bran, le sucre, la levure chimique, le bicarbonate de soude, la cannelle, le zeste d'orange et le sel.

3. Dans un autre récipient, mélangez le fromage blanc, le yaourt, le miel, le beurre fondu et les œufs. Ajoutez les ingrédients liquides aux ingrédients secs, et mélangez rapidement. Incorporez les carottes et les raisins secs.

4. A l'aide d'une cuillère à soupe, versez la pâte de manière égale sur la plaque. Mélangez le sucre et la cannelle pour la garniture et saupoudrez-en les muffins. Laissez cuire jusqu'à ce que les muffins aient levé et soient fermes (environ 25 minutes). Laissez refroidir sur la plaque 10 minutes, puis placez les muffins sur une grille de cuisson. Servez chaud ou froid.

Muffins à l'ananas et à la noix de coco

Comme une pina colada sans rhum, ces muffins doivent leur texture moelleuse à la combinaison d'ingrédients riches, l'ananas et la noix de coco – un petit goût des tropiques en une seule bouchée !

Pour 12 muffins

300 g de farine
4 cuillerées à café de levure chimique
1/2 cuillerée à café de sel
225 g de sucre semoule
50 g de noix de coco fraîche râpée
50 ml d'huile végétale
225 ml de lait
1 œuf, légèrement battu
150 g de morceaux d'ananas en conserve, au naturel, et égouttés

1. Préchauffez le four à 200°. Graissez une plaque à muffins de 12 moules, ou garnissez la plaque de moules en papier.

2. Dans un grand récipient, mélangez la farine, la levure chimique, le sel et le sucre. Incorporez la noix de coco.

3. Dans un autre récipient, mélangez l'huile, le lait et l'œuf. Ajoutez les ingrédients liquides aux ingrédients secs, mélangez rapidement, puis incorporez les morceaux d'ananas.

4. A l'aide d'une cuillère à soupe, versez la pâte de manière égale sur la plaque et laissez cuire jusqu'à ce que les muffins aient levé et soient fermes (15 à 18 minutes). Laissez refroidir sur la plaque 10 minutes, puis placez les muffins sur une grille de cuisson. Servez chaud ou froid.

Muffins au miel et au son d'avoine

Vous trouverez le son d'avoine dans les magasins d'alimentation naturelle.

Pour 12 muffins

150 g de farine à gâteaux complète
200 g de farine à gâteaux
1/2 cuillerée à café d'épices pour tarte à la citrouille
5 cuillerées à soupe de sucre brun
1 cuillerées à soupe de levure chimique
60 g de son d'avoine
100 g de raisins secs "sultanas"
6 cuillerées à soupe d'huile végétale
3 cuillerées à soupe de miel, plus environ 3 cuillerées à soupe pour le nappage
2 œufs, légèrement battus
225 ml de lait

1. Préchauffez le four à 200°. Graissez une plaque à muffins de 12 moules, ou garnissez la plaque de moules en papier.

2. Dans un grand récipient, mélangez les farines, le sucre brun, la levure chimique et le son d'avoine. Ajoutez les raisins secs et mélangez bien.

3. Dans un autre récipient, mélangez l'huile, le miel, les œufs et le lait. Ajoutez les ingrédients liquides aux ingrédients secs et mélangez rapidement.

4. A l'aide d'une cuillère à soupe, versez la pâte de manière égale sur la plaque et laissez cuire jusqu'à ce que les muffins aient levé et soient fermes (environ 20 à 25 minutes). Versez environ 1 cuillerée à café de miel sur chaque muffin encore chaud. Laissez refroidir sur la plaque 10 minutes, puis placez les muffins sur une grille de cuisson. Servez chaud ou froid.

Muffins au citron vert et à la noix de coco fraîche

Il n'est pas difficile de préparer la noix de coco fraîche, mais vous devez faire sortir le jus avant de l' ouvrir complètement. A l'aide d'une brochette en métal, percez deux des trois yeux au sommet de la noix et videz-la de son jus. Pour ouvrir la noix, tapez dessus de toutes vos forces avec un marteau. Ensuite, extrayez la chair pour la râper.

Pour 12 muffins

100 g de noix de coco fraîche râpée
300 g de farine à gâteaux
225 g de sucre semoule
le zeste râpé et le jus de 3 citrons verts
1 œuf, légèrement battu
225 ml de lait
60 g de beurre fondu

1. Préchauffez le four à 200°. Graissez une plaque à muffins de 12 moules, ou garnissez la plaque de moules en papier.

2. Mettez de côté environ 3 cuillerées à soupe de noix de coco râpée. Dans un grand récipient, mélangez la farine et le sucre. Ajoutez le restant de noix de coco et le zeste de citron vert. Mélangez bien.

3. Dans un autre récipient, mélangez le jus de citron vert, l'œuf, le lait et le beurre. Ajoutez aux ingrédients secs et mélangez rapidement.

4. A l'aide d'une cuillère à soupe, versez la pâte de manière égale sur la plaque et saupoudrez de la noix de coco réservée. Laissez cuire jusqu'à ce que les muffins aient levé et soient fermes (environ 20 minutes). Laissez refroidir sur la plaque 10 minutes, puis placez les muffins sur une grille de cuisson. Servez chaud ou froid.

Muffins aux cerises séchées, aux pommes et aux noix de pécan

Si vous ne trouvez pas de cerises séchées, essayez de préparer ces délicieux muffins avec des canneberges séchées.

Pour 12 muffins

300 g de farine
225 g de sucre semoule
1 cuillerée à café de bicarbonate de soude
1/2 cuillerée à café de sel
1 grosse pomme avec sa peau, grossièrement hachée
150 g de cerises séchées, grossièrement hachées
75 g de noix de pécan, hachées
2 œufs, légèrement battus
125 g de beurre fondu
175 ml de crème liquide
3 cuillerées à soupe de sucre Demerara
1 cuillerée à café de cannelle en poudre

1. Préchauffez le four à 200°. Graissez une plaque à muffins de 12 moules, ou garnissez la plaque de moules en papier.

2. Dans un grand récipient, mélangez la farine, le sucre, la levure chimique et le sel. Incorporez la pomme, les cerises et les noix de pécan.

3. Dans un autre récipient, mélangez les œufs, le beurre et la crème liquide. Ajoutez d'un seul coup aux ingrédients secs et mélangez rapidement.

4. A l'aide d'une cuillère à soupe, versez la pâte de manière égale sur la plaque. Mélangez le sucre Demerara et la cannelle, et saupoudrez-les de manière égale sur les muffins. Laissez cuire jusqu'à ce que les muffins aient levé et soient fermes (25 à 30 minutes). Laissez refroidir sur la plaque 10 minutes, puis placez les muffins sur une grille de cuisson. Servez chaud ou froid.

Muffins à la citrouille, au sirop d'érable et aux noix

Pour 12 muffins

Pour la garniture :
75 g de fromage blanc crémeux
2 cuillerées à soupe de sucre brun
2 cuillerées à soupe de sirop d'érable

Pour la pâte à muffins :
300 g de farine
2 cuillerées à café de levure chimique
1/2 cuillerée à café de bicarbonate de soude
1 cuillerée à café de cannelle en poudre
1/2 cuillerée à café de noix de muscade râpée
1/2 cuillerée à café de sel
150 g de sucre brun
65 g de noix hachées
2 œufs, légèrement battus
250 g de purée de citrouille, fraîche ou en conserve
175 ml de lait condensé
50 ml d'huile végétale
1 cuillerée à soupe de sirop d'érable

1. Préchauffez le four à 200°. Graissez une plaque à muffins de 12 moules, ou garnissez la plaque de moules en papier.

2. Pour la garniture, mélangez le fromage blanc, le sucre brun et le sirop d'érable jusqu'à obtention d'une consistance onctueuse.

3. Pour la pâte à muffins, mélangez dans un récipient la farine, le bicarbonate de soude, la cannelle, la noix de muscade et le sel. Incorporez le sucre et les noix. Dans un autre récipient, mélangez les œufs, la citrouille, le lait condensé, l'huile et le sirop d'érable.

4. Ajoutez d'un seul coup les ingrédients liquides aux ingrédients secs, et mélangez rapidement. Incorporez avec soin la garniture de façon à obtenir un effet marbré.

5. Pour la décoration, mélangez le sucre brun et les noix dans un petit récipient.

6. A l'aide d'une cuillère à soupe, versez la pâte de manière égale sur la plaque et nappez avec le mélange de la décoration. Laissez cuire jusqu'à ce que les muffins aient levé et soient fermes (20 à 25 minutes). Laissez refroidir sur la plaque 10 minutes, puis placez les muffins sur une grille de cuisson. Servez chaud ou froid.

Muffins épicés aux carottes
(nappés de fromage blanc)

Ces muffins sont de véritables gâteaux à la carotte miniatures. Ils sont parfaits pour les paniers-repas et le goûter.

Pour 12 muffins

300 g de farine, 225 g de sucre
2 cuillerées à café de bicarbonate de soude
2 cuillerées à café de cannelle en poudre
1 cuillerée à café de sel
175 ml d'huile végétale
175 ml de lait
3 œufs, légèrement battus
100 g de carottes râpées
120 g de noix hachées
150 g de raisins secs

Pour le nappage :
85 g de fromage blanc, ramolli
3 cuillerées à soupe de beurre ramolli
125 g de sucre glace
1/2 cuillerée à café d'extrait de vanille

1. Préchauffez le four à 180°. Graissez une plaque à muffins de 12 moules, ou garnissez la plaque de moules en papier.

2. Dans un grand récipient, mélangez la farine, le sucre, le bicarbonate de soude, la cannelle et le sel. Dans un autre récipient, battez ensemble l'huile, le lait et les œufs. Ajoutez les ingrédients liquides aux ingrédients secs en même temps que les carottes, les noix et les raisins secs. Mélangez brièvement.

3. A l'aide d'une cuillère à soupe, versez la pâte de manière égale sur la plaque et laissez cuire jusqu'à ce que les muffins aient levé et soient fermes (environ 20 à 25 minutes). Placez les muffins sur une grille de cuisson jusqu'à refroidissement complet (10 minutes). Servez chaud ou froid.

4. Entre-temps, pour le nappage, battez le fromage blanc et le beurre dans un récipient moyen jusqu'à obtention d'un mélange mousseux. Incorporez le sucre glace et la vanille jusqu'à ce que la préparation soit épaisse et tartinable. Nappez-en chaque muffin d'une grosse cuillerée à soupe.

Muffins aux graines de pavot et au citron

Pour cette recette, Il est préférable d'utiliser une plaque à muffins antiadhésive plutôt que des moules en papier, afin que le sirop puisse imprégner les muffins au lieu de couler sous le papier.

Pour 12 muffins

Le zeste râpé et le jus de 2 citrons
225 g de sucre semoule
300 g de farine à gâteaux
2 cuillerées à soupe de graines de pavot
1 œuf, légèrement battu
225 ml de lait
60 g de beurre fondu

Pour le sirop de citron:
100 g de sucre glace
le jus d'1 citron

1. Préchauffez le four à 200°. Graissez une plaque à muffins de 12 moules, de préférence antiadhésive.

2. Mélangez 2 cuillerées à café de zeste de citron et 2 cuillerées à soupe de sucre. Mettez de côté.

3. Dans un grand récipient, mélangez la farine, les graines de pavot et le restant de sucre. Ajoutez le restant de zeste de citron, le jus de citron, l'œuf, le lait et le beurre, et mélangez rapidement.

4. A l'aide d'une cuillère à soupe, versez la pâte de manière égale sur la plaque et saupoudrez-la du sucre et du zeste de citron réservés. Laissez cuire jusqu'à ce que les muffins aient levé et soient fermes (environ 20 minutes).

5. Entre-temps, mélangez le sucre glace et le jus de citron jusqu'à consistance homogène. A l'aide d'une cuillère, versez ce mélange sur les muffins chauds, puis laissez refroidir sur la plaque. Servez froid.

Muffins à la poire et au gingembre

Si vous désirez préparer des muffins au pain d'épices selon la recette classique, ne mélangez pas les poires et les noix de pécan à la pâte.

Pour 12 muffins

125 g de graisse végétale ramollie
125 g de sucre semoule
50 g de mélasse
2 œufs, légèrement battus
1 cuillerée à café de bicarbonate de soude
175 ml de crème liquide
300 g de farine
1/2 cuillerée à café de cannelle en poudre
2 cuillerées à café de gingembre moulu
1/2 cuillerée à café de clous de girofle moulus, 65 g de noix de pécan hachées
2 poires bien mûres, épluchées et finement hachées

1. Préchauffez le four à 180°. Graissez une plaque à muffins de 12 moules, ou garnissez la plaque de moules en papier.

2. Dans un récipient, battez la graisse végétale et le sucre pour obtenir un mélange mousseux. Incorporez la mélasse. Ajoutez les œufs l'un après l'autre, en battant bien à chaque fois.

3. Incorporez délicatement le bicarbonate de soude dans la crème liquide jusqu'à dissolution.

4. Dans un autre récipient, mélangez la farine et les épices, et ajoutez-les au mélange à base de graisse végétale en alternance avec la crème liquide. Incorporez les noix de pécan et les poires.

5. A l'aide d'une cuillère à soupe, versez la pâte de manière égale sur la plaque, et laissez cuire jusqu'à ce que les muffins aient levé et soient fermes (environ 20 minutes). Laissez refroidir sur la plaque 10 minutes, puis placez les muffins sur une grille de cuisson. Servez chaud ou froid.

Muffins renversés aux pêches

Si vous préférez, vous pouvez remplacer les pêches par des morceaus d'ananas en conserve. Pour cette recette, Il est préférable d'utiliser une plaque à muffins antiadhésive plutôt que des moules en papier.

Pour 12 muffins

60 g de beurre refroidi, coupé en 12 morceaux
100 g de sucre brun
400 g de tranches de pêches en conserve, égouttées
200 g de farine
225 g de sucre semoule
2 cuillerées à café de levure chimique
1/2 cuillerée à café de sel
2 œufs, légèrement battus
150 ml de crème aigre
25 de graisse végétale fondue

1. Préchauffez le four à 190°. Graissez une plaque à muffins antiadhésive de 12 moules.

2. Répartissez également le beurre et le sucre brun dans les moules de la plaque. Placez dans le four préchauffé jusqu'à ce que le beurre et le sucre aient fondu (environ 5 minutes). Retirez du four et disposez les tranches de pêche au fond des moules à muffins.

3. Entre-temps, dans un grand récipient, mélangez la farine, le sucre, la levure chimique et le sel. Ajoutez d'un seul coup les ingrédients liquides aux ingrédients secs et mélangez rapidement.

4. A l'aide d'une cuillère à soupe, recouvrez soigneusement les tranches de pêche avec la pâte. Laissez cuire jusqu'à ce que les muffins aient levé et soient fermes (environ 25 minutes). Laissez refroidir sur la plaque environ 10 minutes, puis disposez les muffins à l'envers sur un plat ou sur une planche de bois. Servez chaud.

CHAPITRE 2

. . . .

Muffins au chocolat

Muffins aux pépites de chocolat et à la vanille

Si vous préférez, avec les mêmes proportions, vous pouvez faire 36 mini muffins. Vous pouvez les congeler pour les glisser dans un panier-repas, ou les conserver dans un récipient hermétiquement fermé pour en déguster à l'occasion quelques-uns.

Pour 12 muffins

300 g de farine à gâteaux
1 cuillerée à café de levure chimique
4 cuillerées à soupe de beurre
80 g de sucre semoule
150 g de pépites de chocolat au lait ou de chocolat noir
2 œufs, légèrement battus
225 ml de lait
1 cuillerée à café d'extrait de vanille

1. Préchauffez le four à 200°. Graissez une plaque à muffins de 12 moules, ou garnissez la plaque de moules en papier.

2. Dans un grand récipient, mélangez la farine et la levure chimique. Incorporez le beurre jusqu'à ce que la préparation soit grumeleuse. Incorporez le sucre et les pépites de chocolat.

3. Dans un petit récipient, battez ensemble les œufs, le lait et l'extrait de vanille, puis versez d'un seul coup ce mélange dans les ingrédients secs. Mélangez rapidement.

4. A l'aide d'une cuillère à soupe, versez la pâte de manière égale sur la plaque et laissez cuire jusqu'à ce que les muffins aient levé et soient dorés et fermes (18 à 20 minutes). Laissez refroidir sur la plaque 10 minutes, puis placez les muffins sur une grille de cuisson. Servez chaud ou froid.

Muffins au chocolat blanc et aux noix de macadamia

Quel mélange ! Des muffins moelleux au chocolat, parsemés de chocolat blanc et de la reine des noix.

Pour 12 muffins

175 g de chocolat noir, grossièrement broyé, 225 g de farine
150 g de sucre brun
35 g de poudre de cacao non sucré
1 cuillerée à café de levure chimique
1/2 cuillerée à café de sel
175 ml de crème liquide
2 œufs, légèrement battus
1 1/2 cuillerée à café d'extrait de vanille
200 g de chocolat blanc, broyé
100 g de noix de macadamia non salées, grossièrement hachées

1. Préchauffez le four à 200°. Graissez une plaque à muffins de 12 moules, ou garnissez la plaque de moules en papier.

2. Versez le chocolat noir dans un récipient résistant à la chaleur que vous placerez au-dessus d'une casserole d'eau à peine frémissante. Prenez garde à ne pas laisser le fond du récipient toucher l'eau. Laissez ainsi, en remuant de temps à autre, jusqu'à ce que le chocolat ait fondu. Remuez jusqu'à consistance onctueuse. Mettez de côté.

3. Dans un grand récipient, mélangez la farine, le sucre brun, le cacao, la levure chimique et le sel. Dans un autre récipient, mélangez la crème liquide, les œufs et la vanille jusqu'à obtention d'une consistance homogène.

4. Ajoutez ce mélange et le chocolat fondu aux ingrédients secs et mélangez rapidement. Incorporez le chocolat blanc et les noix de macadamia.

5. A l'aide d'une cuillère à soupe, versez la pâte de manière égale sur la plaque et laissez cuire jusqu'à ce que les muffins aient bien levé et soient fermes (25 à 30 minutes). Laissez refroidir sur la plaque 5 minutes, puis placez les muffins sur une grille de cuisson. Servez chaud ou froid.

Muffins au chocolat blanc, au citron et aux framboises

Dans cette recette, vous pouvez utiliser des framboises surgelées si vous n'en trouvez pas de fraîches. Il n'est même pas nécessaire de les décongeler.

Pour 12 muffins

300 g de farine à gâteaux
1 cuillerée à café de bicarbonate de soude
4 cuillerées à soupe de beurre
80 g de sucre semoule
100 g de framboises
150 g de chocolat blanc, grossièrement broyé, le zeste râpé d'1 citron
2 œufs, légèrement battus
225 ml de lait

1. Préchauffez le four à 200°. Graissez une plaque à muffins de 12 moules, ou garnissez la plaque de moules en papier.

2. Dans un grand récipient, mélangez la farine et la levure chimique. Incorporez le beurre jusqu'à ce que la préparation soit grumeleuse. Incorporez le sucre, les framboises, le chocolat blanc et le zeste de citron.

3. Dans un petit récipient, battez ensemble les œufs et le lait, puis versez ce mélange d'un seul coup dans les ingrédients secs, puis mélangez rapidement.

4. A l'aide d'une cuillère à soupe, versez la pâte de manière égale sur la plaque et laissez cuire jusqu'à ce que les muffins aient bien levé et soient fermes (18 à 20 minutes). Laissez refroidir sur la plaque 5 minutes, puis placez les muffins sur une grille de cuisson. Servez chaud ou froid.

Muffins au "chocolat double"

Pour les véritables amateurs de chocolat qui n'en ont jamais assez.

Pour 12 muffins

300 g de farine
200 g de sucre brun
35 g de poudre de cacao non sucré
2 cuillerées à café de bicarbonate de soude
1/2 cuillerée à café de sel
350 ml de lait
6 cuillerées à soupe de beurre ou de margarine fondu(e)
2 œufs, légèrement battus
1 1/2 cuillerée à café d'extrait de vanille
150 g de pépites de chocolat noir

1. Préchauffez le four à 200°. Graissez une plaque à muffins de 12 moules, ou garnissez la plaque de moules en papier.

2. Dans un grand récipient, mélangez la farine, le sucre brun, le cacao, la levure chimique et le sel. Dans un autre récipient, mélangez le lait, le beurre et les œufs. Ajoutez d'un seul coup les ingrédients liquides aux ingrédients secs, puis mélangez rapidement. Incorporez les pépites de chocolat.

3. A l'aide d'une cuillère à soupe, versez la pâte de manière égale sur la plaque et laissez cuire jusqu'à ce que les muffins aient bien levé (25 à 30 minutes). Laissez refroidir sur la plaque 5 minutes, puis placez les muffins sur une grille de cuisson. Servez chaud ou froid.

Muffins aux noisettes et au chocolat

Utilisez le meilleur chocolat noir pour ces muffins. L'association d'un chocolat puissant et de noisettes croquantes est absolument sublime.

Pour 12 muffins

300 g de farine
200 g de sucre brun
35 g de poudre de cacao non sucré
2 cuillerées à café de bicarbonate de soude
1/2 cuillerée à café de sel
350 ml de lait
6 cuillerées à soupe de beurre ou de margarine, fondu(e)
2 œufs, légèrement battus
150 g de chocolat noir grossièrement haché
100 g de noisettes grillées et grossièrement hachées

1. Préchauffez le four à 200°. Graissez une plaque à muffins de 12 moules, ou garnissez la plaque de moules en papier.

2. Dans un grand récipient, mélangez la farine, le sucre, le bicarbonate de soude et le sel. Dans un autre récipient, mélangez le lait, le beurre et les œufs. Ajoutez d'un seul coup les ingrédients liquides aux ingrédients secs et mélangez rapidement.

3. A l'aide d'une cuillère à soupe, versez la pâte de manière égale sur la plaque et laissez cuire jusqu'à ce que les muffins aient bien levé et soient dorés (25 à 30 minutes). Laissez refroidir sur la plaque 5 minutes, puis placez les muffins sur une grille de cuisson. Servez chaud ou froid.

Muffins à la banane, aux noix et aux pépites de chocolat

Ces muffins sont délicieux servis chauds, car le chocolat et la banane leur donnent une qualité de moelleux et de fondant.

Pour 12 muffins

300 g de farine à gâteaux
2 cuillerées à soupe de sucre brun
60 g de noix hachées
100 g de pépites de chocolat noir
2 bananes bien mûres
3 cuillerées à soupe d'huile végétale
2 œufs, légèrement battus
125 ml de crème aigre

1. Préchauffez le four à 200°. Graissez une plaque à muffins de 12 moules, ou garnissez la plaque de moules en papier.

2. Dans un grand récipient, mélangez la farine, le sucre brun, les noix et les pépites de chocolat. Dans un autre récipient, réduisez les bananes en purée, puis incorporez l'huile végétale, les œufs et la crème aigre. Ajoutez d'un seul coup les ingrédients liquides aux ingrédients secs et mélangez rapidement.

3. A l'aide d'une cuillère à soupe, versez la pâte de manière égale sur la plaque et laissez cuire jusqu'à ce que les muffins aient bien levé et soient dorés (environ 20 minutes). Laissez refroidir sur la plaque 10 minutes, puis placez les muffins sur une grille de cuisson. Servez chaud ou froid.

Muffins fourrés au chocolat

Pour 12 muffins

Pour la garniture :
1 1/2 cuillerée à soupe de beurre ramolli
75 g de sucre glace, 1 1/2 cuillerée à café de lait, 1 1/2 cuillerée à café d'extrait de vanille, 50 g de chocolat noir fondu.

Pour les muffins :
300g de farine à gâteaux
1 cuillerée à café de levure chimique
4 cuillerées à soupe de beurre, 80 g de sucre semoule, 2 œufs, légèrement battus
225 ml de lait, 1 cuillerée à café d'extrait de vanille, 2 cuillerées à soupe de noisettes finement hachées, 1 cuillerée à soupe de sucre Demerara

1. Préchauffez le four à 200°. Graissez une plaque à muffins de 12 moules, ou garnissez la plaque de moules en papier.

2. Pour la garniture, réduisez le beurre en crème dans un petit récipient. Ajoutez progressivement le sucre glace en battant jusqu'à consistance homogène. Incorporez le lait, l'extrait de vanille et le chocolat fondu. Mettez de côté.

3. Pour les muffins, mélangez la farine et la levure chimique dans un grand récipient. Incorporez le beurre jusqu'à ce que la préparation soit grumeleuse. Incorporez le sucre. Dans un petit récipient, battez ensemble les œufs, le lait et la vanille, puis versez ce mélange d'un seul coup sur les ingrédients secs, enfin mélangez rapidement.

4. Mettez une cuillerée à soupe de pâte dans chaque moule de la plaque. Versez une grosse cuillerée à café de garniture sur chaque muffin, puis couvrez avec le restant de pâte à muffins.

5. Mélangez les noisettes hachées et le sucre Demerara, et saupoudrez de manière égale ce mélange sur les muffins.

6. Laissez cuire jusqu'à ce que les muffins aient bien levé et soient dorés et fermes (18 à 20 minutes). Laissez refroidir sur la plaque 5 minutes, puis placez les muffins sur une grille de cuisson. Servez chaud ou froid.

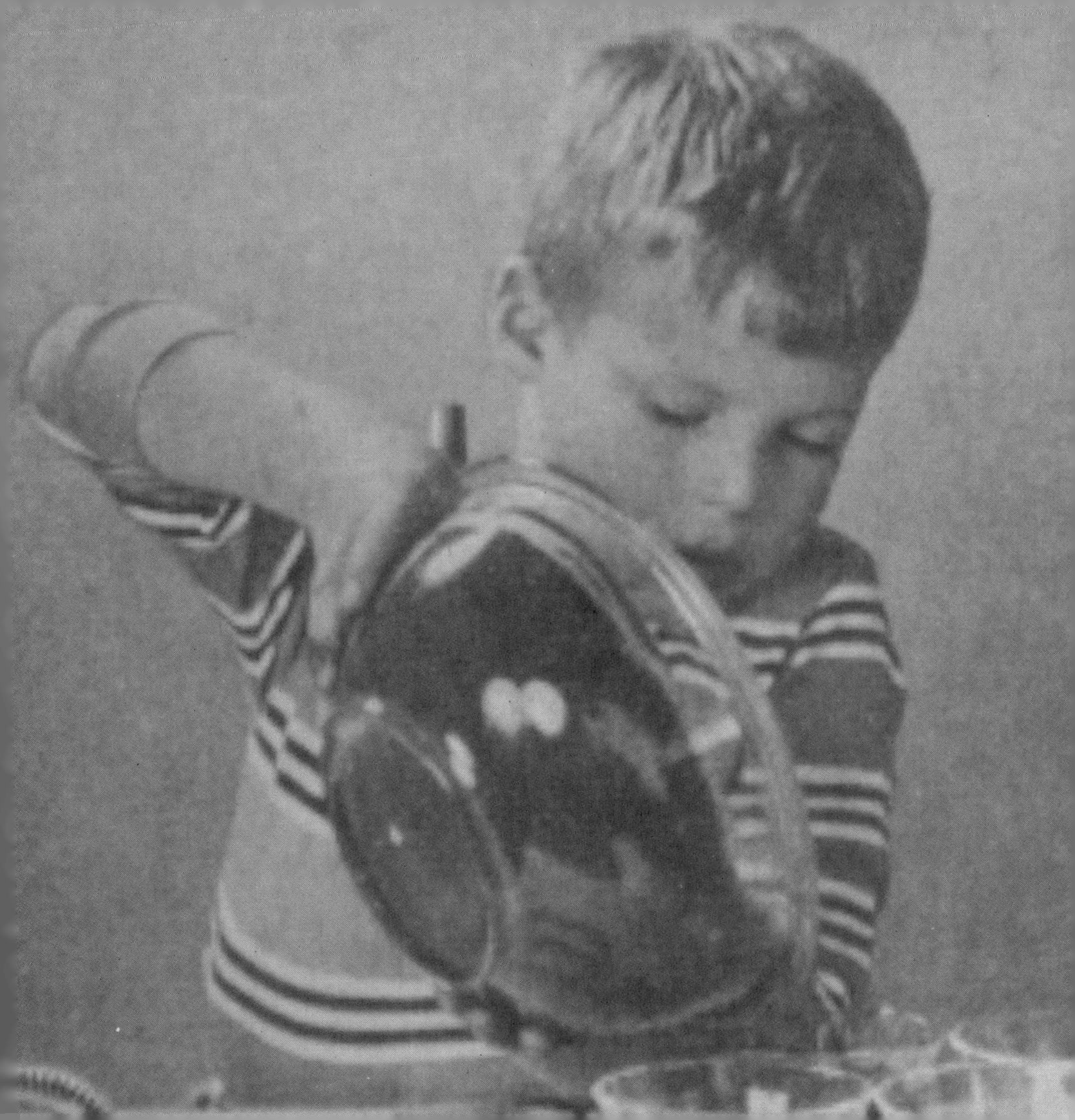

Muffins au cheesecake et au chocolat

Pour 12 muffins

Pour le cheesecake :

175 g de fromage blanc crémeux, à température ambiante
60 g de sucre semoule
1 œuf, légèrement battu
1/8 cuillerée à café d'extrait de vanille
25 g d'amandes effilées

Pour les muffins :

150 g de farine
175 g de sucre semoule
35 g de poudre de cacao non sucré
1/2 cuillerée à café de bicarbonate de soude
1/2 cuillerée à café de sel
125 ml de crème aigre
50 ml d'huile végétale
4 cuillerées à soupe de beurre fondu et refroidi
2 œufs, légèrement battus
1 cuillerée à café d'extrait de vanille
75 g de chocolat noir fondu

1. Préchauffez le four à 190°. Graissez une plaque à muffins de 12 moules, ou garnissez la plaque de moules en papier.

2. Pour le cheesecake, mélangez le fromage blanc, le sucre, l'œuf et l'extrait de vanille dans un récipient moyen. Mettez de côté.

3. Pour les muffins, mélangez la farine, le cacao, le bicarbonate de soude et le sel dans un grand récipient. Dans un autre récipient, mélangez la crème aigre, l'huile, le beurre fondu, les œufs, la vanille et le chocolat fondu. Ajoutez les ingrédients liquides aux ingrédients secs et mélangez rapidement.

4. A l'aide d'une cuillère à soupe, versez la pâte de manière égale sur la plaque, puis versez le mélange pour cheesecake sur la pâte chocolatée dans les moules à muffins, et tracez quelques sillons sur la pâte avec un couteau pour obtenir un effet marbré.

5. Laissez cuire jusqu'à ce que les muffins aient bien levé et soient fermes (20 à 25 minutes). Laissez refroidir sur la plaque 5 minutes, puis placez les muffins sur une grille de cuisson. Servez chaud ou froid.

Muffins au cappuccino

N'utilisez pas de café instantané, mais uniquement du café moulu. Si possible, choisissez un café grillé puissant de grande qualité.

Pour 12 muffins

115 g de farine à gâteaux
185 g de farine
1 cuillerée à soupe de levure chimique
1/2 cuillerée à café de sel
60 g de poudre de cacao non sucré
100 g de sucre brun
2 cuillerées à soupe de café finement moulu
6 cuillerées à soupe de beurre ramolli
225 ml de crème aigre
225 ml de crème fouettée
2 œufs, légèrement battus
le zeste finement râpé de 2 oranges

1. Préchauffez le four à 180°. Graissez une plaque à muffins de 12 moules, ou garnissez la plaque de moules en papier.

2. Dans un grand récipient, mélangez les farines, la levure chimique, le sel et le cacao. Incorporez le sucre brun et le café.

3. Dans un autre récipient, battez ensemble le beurre, la crème aigre, la crème fouettée et les œufs. Ajoutez les ingrédients liquides aux ingrédients secs en même temps que le zeste d'orange et le chocolat, et mélangez rapidement.

4. A l'aide d'une cuillère à soupe, versez la pâte de manière égale sur la plaque, puis laissez cuire jusqu'à ce que les muffins aient levé et soient dorés et fermes (15 à 20 minutes). Laissez refroidir sur la plaque 10 minutes, puis placez les muffins sur une grille de cuisson. Servez chaud ou froid.

Muffins glacés aux pépites de chocolat et au moka

L'ajout d'un petit peu de café expresso confère un aspect sophistiqué à ces muffins.

Pour 12 muffins

300 g de farine à gâteaux
1 cuillerée à café de levure chimique
4 cuillerées à soupe de beurre
80 g de sucre semoule
150 g de pépites de chocolat noir ou de chocolat noir broyé
2 œufs, légèrement battus
150 ml de lait
75 ml de café expresso frais

Pour le glaçage au chocolat:
2 cuillerées à soupe de beurre
2 cuillerées à soupe de poudre de cacao non sucré
2 cuillerées à soupe de café expresso
150 g de sucre glace, tamisé
1/2 cuillerée à café d'extrait de vanille

1. Préchauffez le four à 200°. Graissez une plaque à muffins de 12 moules, ou garnissez la plaque de moules en papier.

2. Dans un grand récipient, mélangez la farine et la levure chimique. Incorporez le beurre jusqu'à ce que la préparation soit grumeleuse. Incorporez le sucre et le chocolat. Dans un récipient, battez ensemble les œufs, le lait et le café expresso, versez ce mélange d'un seul coup sur les ingrédients secs, mélangez rapidement.

3. A l'aide d'une cuillère à soupe, versez la pâte de manière égale sur la plaque et laissez cuire jusqu'à ce que les muffins aient bien levé et soient dorés et fermes (18 à 20 minutes). Laissez refroidir sur la plaque 5 minutes, puis placez les muffins sur une grille de cuisson.

4. Pour le glaçage, faites fondre le beurre à feu doux dans une petite casserole. Ajoutez le cacao et le café expresso, en remuant constamment jusqu'à ce que le mélange épaississe; ne faites pas bouillir. Retirez du feu et ajoutez lentement le sucre glace et l'extrait de vanille, en battant jusqu'à consistance onctueuse. Si nécessaire, allongez la préparation avec un peu d'eau chaude pour pouvoir la verser facilement sur les muffins refroidis. Laissez reposer 30 minutes jusqu'à ce que le glaçage ait pris.

Muffins au fudge chocolaté

Ces muffins sont une véritable dynamite de chocolat. Déconseillé aux petites natures !

Pour 12 muffins

150 g de chocolat noir, grossièrement broyé
50 g de chocolat noir non sucré, grossièrement broyé
6 cuillerées à soupe de beurre
300 g de farine
150 g de sucre brun
1 cuillerée à café de bicarbonate de soude
1/2 cuillerée à café de sel
175 ml de crème aigre
50 ml de sirop de maïs léger
1 œuf, légèrement battu
1 1/2 cuillerée à café d'extrait de vanille
100 g de pépites de chocolat noir

1. Préchauffez le four à 200°. Graissez une plaque à muffins de 12 moules, ou garnissez la plaque de moules en papier.

2. Faites fondre ensemble au bain-marie les deux chocolats et le beurre, en remuant de temps à autre jusqu'à consistance onctueuse. Laissez refroidir un peu.

3. Dans un récipient, mélangez la farine, le sucre brun, le bicarbonate de soude et le sel. Dans un petit récipient, battez ensemble la crème aigre, le sirop de maïs, l'œuf et l'extrait de vanille, puis incorporez au mélange de chocolats. Incorporez les pépites de chocolat. Ajoutez cette préparation aux ingrédients secs et mélangez rapidement.

4. A l'aide d'une cuillère à soupe, versez la pâte de manière égale sur la plaque et laissez cuire jusqu'à ce que les muffins aient bien levé et soient fermes (environ 20 minutes). Laissez refroidir sur la plaque 5 minutes, puis placez les muffins sur une grille de cuisson.

Muffins à l'orange et aux pépites de chocolat

Le zeste d'orange ajoute ici une fraîcheur qui plaira à ceux qui trouvent les muffins au chocolat un peu lourds.

Pour 12 muffins

300 g de farine
200 g de sucre brun
35 g de poudre de cacao non sucré
2 cuillerées à café de bicarbonate de soude
1/2 cuillerée à café de sel
100 g de pépites de chocolat noir
225 ml de lait
6 cuillerées à soupe de beurre ou de margarine fondu(e)
2 œufs, légèrement battus
le zeste finement râpé d'1 orange

1. Préchauffez le four à 200°. Graissez une plaque à muffins de 12 moules, ou garnissez la plaque de moules en papier.

2. Dans un grand récipient, mélangez la farine, le sucre brun, le cacao, le bicarbonate de soude, le sel et les pépites de chocolat.

3. Dans un autre récipient, battez ensemble le lait, le beurre, les œufs et le zeste d'orange jusqu'à consistance homogène. Ajoutez les ingrédients liquides aux ingrédients secs, et mélangez rapidement.

4. A l'aide d'une cuillère à soupe, versez la pâte de manière égale sur la plaque, et laissez cuire jusqu'à ce que les muffins aient bien levé et soient fermes (25 à 30 minutes). Laissez refroidir sur la plaque 5 minutes, puis placez les muffins sur une grille de cuisson. Servez chaud ou froid.

CHAPITRE 3

. . . .

Oléagineux et épices

Muffins au beurre de cacahuète et à la banane

Votre garniture de sandwich favorite, dans un muffin !

Pour 12 muffins

225 g de farine
100 g de flocons d'avoine (à cuisson rapide ou classiques)
50 g de sucre brun
1 cuillerée à café de levure chimique
1/2 cuillerée à café de sel
100 g de beurre de cacahuète avec morceaux
225 ml de lait
1 cuillerée à soupe de sirop d'érable
1 œuf, légèrement battu
2 bananes bien mûres, écrasées
1 cuillerée à soupe de sucre cristallisé
1 cuillerée à café de cannelle en poudre

1. Préchauffez le four à 200°. Graissez une plaque à muffins de 12 moules, ou garnissez la plaque de moules en papier.

2. Dans un grand récipient, mélangez la farine et les flocons d'avoine, puis incorporez le sucre brun. Ajoutez la levure chimique et le sel et mélangez à nouveau jusqu'à consistance homogène.

3. Dans un autre récipient, mélangez le beurre de cacahuète, le lait, le sirop d'érable, l'œuf et les bananes jusqu'à consistance homogène. Ajoutez d'un seul coup les ingrédients liquides aux ingrédients secs, en mélangeant rapidement.

4. A l'aide d'une cuillère à soupe, versez la pâte de manière égale sur la plaque. Mélangez le sucre et la cannelle, puis saupoudrez-en les muffins. Laissez cuire jusqu'à ce que les muffins aient levé et soient fermes (environ 20 minutes). Laissez refroidir sur la plaque 10 minutes, puis placez les muffins sur une grille de cuisson. Servez chaud ou froid.

Muffins à l'igname (avec noix de pécan et cannelle)

La saveur sucrée de l'igname se marie merveilleusement avec la cannelle, tandis que les noix de pécan ajoutent un croustillant bienvenu.

Pour 12 muffins

1 grosse igname (ou à défaut patate douce)
125 g de beurre ramolli, 225 g de sucre semoule, 2 œufs, légèrement battus
300 g de farine, 2 cuillerées à café de levure chimique, 1/2 cuillerée à café de sel
1 cuillerée à café de cannelle en poudre
1/2 cuillerée à café de noix de muscade râpée, 225 ml de lait
65 g de noix de pécan hachées

1. Préchauffez le four à 200°. Graissez une plaque à muffins de 12 moules, ou garnissez la plaque de moules en papier.

2. A l'aide d'une fourchette, piquez plusieurs fois l'igname et placez-la sur une plaque à pâtisserie dans le four à haute température. Laissez cuire jusqu'à ce qu'elle soit tendre (25 à 30 minutes). Retirez du four et laissez reposer jusqu'à ce qu'elle soit suffisamment refroidie pour être travaillée.

3. Ensuite, coupez l'igname en deux et évidez la chair que vous réduirez en purée dans un petit récipient. Vous devriez obtenir environ 225 g de purée. Mettez de côté.

4. Dans un grand récipient, réduisez en crème le beurre et le sucre. Incorporez les œufs et la purée d'igname.

5. Dans un autre récipient, mélangez la farine, la levure chimique, le sel, la cannelle et la noix de muscade. Ajoutez à la préparation en alternance avec le lait, en mélangeant rapidement. Incorporez les noix de pécan.

6. A l'aide d'une cuillère à soupe, versez la pâte de manière égale sur la plaque et laissez cuire jusqu'à ce que les muffins aient levé et soient fermes (20 à 25 minutes). Laissez refroidir sur la plaque 10 minutes, puis placez les muffins sur une grille de cuisson. Servez chaud ou froid.

Muffins au miel et aux pistaches

Cette recette s'inspire de la baklava, pâtisserie moyen-orientale très sucrée, feuilletée, et fourrée au miel et aux noix. Choisissez un miel parfumé pour un meilleur résultat.

Pour 12 muffins

300 g de farine
1 cuillerée à café de levure chimique
1/2 cuillerée à café de sel
1 cuillerée à café de cannelle en poudre
une pincée de clous de girofle
3 cuillerées à soupe de pistaches hachées
3 cuillerées à soupe d'amandes hachées et blanchies
100 g de sucre brun
4 cuillerées à soupe de miel
225 ml de lait
2 cuillerées à soupe d'huile végétale
2 œufs, légèrement battus

1. Préchauffez le four à 200°. Graissez une plaque à muffins de 12 moules, ou garnissez la plaque de moules en papier.

2. Dans un grand récipient, mélangez la farine, la levure chimique, le sel, la cannelle et les clous de girofle. Incorporez 2 cuillerées à soupe de pistaches, 2 cuillerées à soupe d'amandes et le sucre brun.

3. Dans un autre récipient, mélangez 2 cuillerées à soupe de miel avec le lait, l'huile et les œufs. Ajoutez d'un seul coup les ingrédients liquides aux ingrédients secs, puis mélangez rapidement.

4. A l'aide d'une cuillère à soupe, versez la pâte de manière égale sur la plaque. Saupoudrez avec le restant d'amandes et de pistaches et laissez cuire jusqu'à ce que les muffins aient levé et soient fermes (18 à 20 minutes). Retirez du four et nappez les muffins avec le restant de miel. Laissez refroidir sur la plaque 5 minutes, puis placez les muffins sur une grille de cuisson. Servez chaud de préférence.

Muffins aux noix et au café

Pour 12 muffins
100 g de noix, 150 g de beurre
150 g de sucre semoule, 3 blancs d'œufs
4 jaunes d'œufs, 1 cuillerée à café d'extrait de vanille, 150 g de farine
1 cuillerée à café de levure chimique

Pour le glaçage au café :
1 1/2 cuillerée à soupe de lait
1 médaillon de beurre
1 cuillerée à soupe de café instantané
200 g de sucre glace, tamisé
1 cuillerée à café d'extrait de vanille

1. Préchauffez le four à 180°. Graissez une plaque à muffins de 12 moules, ou garnissez la plaque de moules en papier.

2. Hachez finement les noix dans un robot culinaire, en évitant qu'elles ne se transforment en pâte. Mettez de côté.

3. Dans une casserole, faites fondre à feu doux le beurre et le sucre. Portez doucement à ébullition et laissez cuire 2 minutes, en remuant constamment. Evitez que le mélange ne noircisse ni ne brûle. Laissez refroidir.

4. Battez les œufs en neige jusqu'à consistance ferme. Mettez de côté. Ajoutez les jaunes d'œufs au mélange sucre-beurre, puis incorporez les noix hachées, l'extrait de vanille, la farine et la levure chimique. Incorporez délicatement les blancs d'œufs pour obtenir une pâte moelleuse et épaisse.

5. A l'aide d'une cuillère à soupe, versez la pâte de manière égale sur la plaque et laissez cuire jusqu'à ce que les muffins aient levé et soient fermes (15 à 20 minutes). Laissez refroidir sur la plaque 10 minutes, puis placez les muffins sur une grille de cuisson.

6. Pour le glaçage, faites chauffer à feu doux le lait, le beurre et le café instantané dans une petite casserole. Ajoutez le sucre glace et l'extrait de vanille et remuez jusqu'à consistance onctueuse, en ajoutant un peu de sucre glace si nécessaire pour une consistance tartinable. Nappez les muffins froids avec le glaçage.

Muffins au beurre de cacahuète

Si vous rêvez de la pure saveur du beurre de cacahuète, essayez donc ces succulents muffins, accompagnés d'un verre de lait froid.

Pour 12 muffins

300 g de farine
1 1/2 cuillerée à café de levure chimique
1/2 cuillerée à café de sel
4 cuillerées à soupe de cacahuètes grillées non salées, finement hachées
100 g de sucre brun
200 g de beurre de cacahuète onctueux
175 ml de lait
2 cuillerées à soupe d'huile végétale
2 œufs, légèrement battus
1 cuillerée à soupe de sucre Demerara

1. Préchauffez le four à 190°. Graissez une plaque à muffins de 12 moules, ou garnissez la plaque de moules en papier.

2. Dans un grand récipient, mélangez la farine, la levure chimique et le sel. Incorporez 2 cuillerées à soupe de cacahuètes hachées et le sucre brun. Ajoutez le beurre de cacahuète et mélangez jusqu'à ce que la préparation soit grumeleuse.

3. Dans un autre récipient, mélangez le lait, l'huile et les œufs. Ajoutez d'un seul coup les ingrédients liquides aux ingrédients secs, et mélangez rapidement.

4. A l'aide d'une cuillère à soupe, versez la pâte de manière égale sur la plaque. Mélangez le restant de cacahuètes hachées et le sucre Demerara et saupoudrez de manière égale sur les muffins. Laissez cuire jusqu'à ce que les muffins aient levé et soient fermes (16 à 18 minutes). Laissez refroidir sur la plaque 10 minutes, puis placez les muffins sur une grille de cuisson. Servez chaud ou froid.

Muffins épicés aux courgettes

Choisissez des courgettes petites et fermes car elles contiennent moins d'eau et donnent de meilleurs résultats.

Pour 12 muffins

100 g de sucre brun
1 1/2 cuillerée à café de levure chimique
1/2 cuillerée à café de sel
1 cuillerée à café de cannelle en poudre
175 ml de lait
2 œufs, légèrement battus
50 ml d'huile végétale
50 ml de miel
120 g de courgettes râpées

1. Préchauffez le four à 190°. Graissez une plaque à muffins de 12 moules, ou garnissez la plaque de moules en papier.

2. Dans un grand récipient, mélangez la farine, le sucre brun, la levure chimique, le sel et la cannelle.

3. Dans un autre récipient, mélangez le lait, les œufs, l'huile, le miel et les courgettes. Versez d'un seul coup les ingrédients liquides sur les ingrédients secs, et mélangez rapidement.

4. A l'aide d'une cuillère à soupe, versez la pâte de manière égale sur la plaque, et laissez cuire jusqu'à ce que les muffins aient bien levé et soient légèrement brunis (environ 20 minutes). Laissez refroidir sur la plaque 10 minutes, puis placez les muffins sur une grille de cuisson. Servez chaud.

Petits muffins fourrés à la confiture

Si vous préférez, vous pouvez également préparer 12 muffins de taille classique.

Pour 36 muffins

250 g de farine à gâteaux
1 cuillerée à café de levure chimique
4 cuillerées à soupe de beurre
80 g de sucre semoule
2 œufs, légèrement battus, 25 ml de lait
1 cuillerée à café d'extrait de vanille
5 à 6 cuillerées à soupe de confiture de framboises ou de fraises

Pour la garniture :
4 cuillerées à soupe de beurre
1 cuillerée à café de cannelle en poudre
50 g de sucre semoule

1. Préchauffez le four à 200°. Graissez 3 plaques à mini muffins de 12 moules, ou garnissez la plaque de mini moules en papier.
2. Dans un grand récipient, mélangez la farine et la levure chimique. Incorporez le beurre jusqu'à ce que la préparation soit grumeleuse. Incorporez le sucre.

3. Dans un petit récipient, battez ensemble les œufs, le lait et l'extrait de vanille, puis versez ce mélange d'un seul coup sur les ingrédients secs et mélangez rapidement.

4. Mettez une petite cuillerée de pâte dans chaque moule de la plaque. Ajoutez environ 1/2 cuillerée à café de confiture dans chaque moule, puis nappez avec le restant de pâte à muffins. Laissez cuire jusqu'à ce que les cookies aient bien levé et soient dorés (8 à 10 minutes). Laissez refroidir sur la plaque quelques minutes, puis placez les muffins sur une grille de cuisson.

5. Pour la garniture, faites fondre le beurre à feu doux. Dans un petit récipient, mélangez la cannelle et le sucre. Badigeonnez chaque mini muffin avec un peu de beurre fondu, puis roulez-le dans le sucre et la cannelle. Mettez de côté et laissez refroidir. Servez chaud ou froid.

Muffins au beurre (avec raisins secs et noix)

Ces muffins ont toutes les qualités d'une tarte au beurre - riche et beurrée. Oubliez les raisins et noix si vous le préférez.

Pour 12 muffins

200 g de raisins secs (facultatif)
175 g de sucre semoule
125 g de beurre
125 ml de lait
1 cuillerée à café d'extrait de vanille ou de rhum
2 œufs, légèrement battus
300 g de farine
2 cuillerées à café de levure chimique
1 cuillerée à café de bicarbonate de soude
une pincée de sel
65 g de noix hachées (facultatif)
50 ml de sirop de maïs

1. Préchauffez le four à 190°. Graissez une plaque à muffins de 12 moules, ou garnissez la plaque de moules en papier.

2. Dans une grande casserole, mélangez les raisins secs, le sucre, le beurre, le lait et l'extrait de vanille. Placez sur feu moyen et faites cuire en remuant constamment jusqu'à ce que le mélange soit chaud et que le sucre ait fondu. Portez à petite ébullition, puis retirez du feu. Laissez refroidir 10 minutes, puis incorporez les œufs. Laissez refroidir jusqu'à ce que la préparation soit tiède.

3. Dans un grand récipient, mélangez la farine, la levure chimique, le bicarbonate de soude et le sel. Creusez un puits au centre et versez le mélange à base de raisins secs, en remuant rapidement. Incorporez les noix. A l'aide d'une cuillère à soupe, versez la pâte de manière égale sur la plaque, et laissez cuire jusqu'à ce que les muffins aient levé et soient dorés (15 à 17 minutes).

4. Retirez du four et versez immédiatement 1 cuillerée à café de sirop de maïs sur chaque muffin. Laissez refroidir sur la plaque 10 minutes, puis placez les muffins sur une grille de cuisson. Servez chaud ou froid.

Muffins à la cannelle et aux noix de pécan

Si vous ne trouvez pas de crème liquide, mélangez 1 cuillérée à café de vinaigre blanc à 175 ml de lait, et laissez à température ambiante pendant 1 heure, jusqu'à ce que cela caille légèrement.

Pour 12 muffins

300 g de farine
1 cuillerée à café de levure chimique
1 cuillerée à café de bicarbonate de soude
une pincée de sel, 125 g de beurre ramolli, 175 g de sucre semoule
2 œufs, légèrement battus
1 cuillerée à café d'extrait de vanille
175 ml de crème liquide
75 g de sucre brun, 1 cuillerée à café de cannelle en poudre, 65 g de noix de pécan grossièrement hachées

1. Préchauffez le four à 190°. Graissez une plaque à muffins de 12 moules, ou garnissez la plaque de moules en papier.

2. Dans un grand récipient, mélangez la farine, la levure chimique, le bicarbonate de soude et le sel.

3. Dans un autre récipient, battez le beurre et le sucre pour obtenir un mélange mousseux. Incorporez progressivement les œufs et l'extrait de vanille. Incorporez la crème liquide.

4. Ajoutez d'un seul coup les ingrédients liquides aux ingrédients secs, puis mélangez rapidement.

5. Dans un petit récipient, mélangez le sucre brun, la cannelle et les noix de pécan.

6. A l'aide d'une cuillère à soupe, versez la moitié de la pâte de manière égale sur la plaque et saupoudrez la moitié du mélange à base de noix de pécan. Répétez la même opération avec le reste de pâte et de noix de pécan, en pressant délicatement les noix avec le dos d'une cuillère ou avec une spatule en caoutchouc. Laissez cuire jusqu'à ce que les muffins aient bien levé et soient fermes (20 à 25 minutes). Laissez refroidir sur la plaque 10 minutes, puis placez les muffins sur une grille de cuisson. Servez chaud ou froid.

CHAPITRE 4

Muffins salés

Muffins au maïs et au bacon

Il s'agit d'une variante des traditionnels muffins au maïs. Ils conviennent parfaitement au petit-déjeuner ou pour un déjeuner léger accompagné d'une salade verte.

Pour 12 muffins

225 g de bacon coupé en tranches
1 petit oignon finement haché
150 g de farine, 170 g de farine de maïs fine, 2 cuillerées à soupe de sucre semoule, 4 cuillerées à café de levure chimique, 1/2 cuillerée à café de sel
200 g de crème de maïs, 125 ml de lait
1 œuf, légèrement battu

1. Préchauffez le four à 220°. Graissez une plaque à muffins de 12 moules, ou garnissez la plaque de moules en papier.

2. Faites cuire le bacon, soit au gril, soit dans une grande poêle, jusqu'à ce qu'il soit croustillant. Egouttez-le bien sur du papier absorbant. Ajoutez l'oignon dans la même poêle et faites-le revenir jusqu'à ce qu'il soit mou et légèrement doré (5 à 7 minutes). Hachez le bacon en petits morceaux et mettez de côté avec l'oignon. Réservez environ 50 ml de la graisse de bacon.

3. Dans un récipient moyen, mélangez la farine, la farine de maïs, le sucre, la levure chimique et le sel.

4. Dans un autre récipient, battez la crème de maïs, le lait, les œufs et la graisse de bacon réservée. Ajoutez le tout à la préparation à base de farine et mélangez rapidement. Incorporez le bacon et l'oignon réservés.

5. A l'aide d'une cuillère à soupe, versez la pâte de manière égale sur la plaque et laissez cuire jusqu'à ce que les muffins soient dorés (15 à 20 minutes). Retirez délicatement les muffins de la plaque. Servez de préférence chauds dès la sortie du four.

Muffins épicés au maïs à la cajun

Ces muffins dégagent un arôme merveilleux pendant leur cuisson et accompagnent idéalement tout ragoût ou tout plat de poisson à la mode cajun.

Pour 12 muffins

170 g de farine de maïs fine
150 g de farine
1 cuillerée à soupe de sucre semoule
1 cuillerée à soupe de levure chimique
1/2 cuillerée à café de sel
1/2 cuillerée à café de bicarbonate de soude
1/2 cuillerée à café d'épices cajun
175 ml de crème liquide
2 œufs, légèrement battus
85 g de maïs congelé
2 ciboules finement hachées
2 cuillerées à soupe d'huile végétale
1/4 cuillerée à café de sauce au piment (ou selon votre goût)

1. Préchauffez le four à 220°. Graissez une plaque à muffins de 12 moules, ou garnissez la plaque de moules en papier.

2. Dans un grand récipient, mélangez la farine de maïs, la farine, le sucre, la levure chimique, le sel, le bicarbonate de soude et les épices cajun.

3. Dans un autre récipient, mélangez la crème liquide, les œufs, le maïs, les ciboules, l'huile et la sauce au piment. Ajoutez d'un seul coup les ingrédients liquides aux ingrédients secs, puis mélangez rapidement.

4. A l'aide d'une cuillère à soupe, versez la pâte de manière égale sur la plaque et laissez cuire jusqu'à ce que les muffins aient bien levé et soient dorés (18 à 20 minutes). Laissez refroidir sur la plaque 5 minutes, puis placez les muffins sur une grille de cuisson. Servez chaud.

Muffins au maïs et au fromage

Ces muffins sont fabuleux accompagnés d'un bol de soupe chaude aux piments ou à la tomate.

Pour 12 muffins

125 g de farine
170 g de farine de maïs fine
1 cuillerée à café de bicarbonate de soude
1 cuillerée à café de levure chimique
2 cuillerées à café de sel
50 g de graisse végétale
75 g de fromage cheddar, râpé
2 œufs, légèrement battus
225 ml de lait
200 g de crème de maïs en boîte

1. Préchauffez le four à 220°. Graissez une plaque à muffins de 12 moules, ou garnissez la plaque de moules en papier.

2. Dans un grand récipient, mélangez la farine, la farine de maïs, la levure chimique, le bicarbonate de soude et le sel. Ajoutez la graisse végétale et battez jusqu'à ce que la préparation soit grumeleuse. Incorporez le fromage râpé.

3. Dans un autre récipient, mélangez les œufs et le lait. Ajoutez aux ingrédients secs en même temps que la crème de maïs, et mélangez rapidement.

4. A l'aide d'une cuillère à soupe, versez la pâte de manière égale sur la plaque et laissez cuire jusqu'à ce que les muffins aient levé et soient dorés (25 à 30 minutes). Laissez refroidir sur la plaque 10 minutes avant de servir. Il vaut mieux servir ces muffins le jour de leur préparation, si possible chauds à leur sortie du four.

Muffins à la banane plantain et aux fines herbes

Les bananes plantains peuvent être consommées à tous les stades de leur mûrissement, mais elles doivent être cuites. Lorsqu'elles sont vertes, leur saveur et leur texture sont proches de celles des pommes de terre ; lorsqu'elles sont mûres (et noires), leur douceur et leur onctuosité rappellent davantage les bananes classiques.

Pour 12 muffins

300 g de farine
1 cuillerée à café de levure chimique
1 cuillerée à café de bicarbonate de soude, 1 cuillerée à café de sel
1 cuillerée à soupe de feuilles de thym fraîches, 1 cuillerée à soupe de ciboulette fraîche hachée, 1 cuillerée à soupe de persil frais haché, 1 gousse d'ail, écrasée
175 ml de yaourt nature, 150 ml de lait
2 œufs, légèrement battus
2 cuillerées à soupe d'huile végétale
1 cuillerée à soupe de raifort
1 grosse banane plantain verte, râpée

1. Préchauffez le four à 200°. Graissez une plaque à muffins de 12 moules, ou garnissez la plaque de moules en papier.

2. Dans un grand récipient, mélangez la farine, la levure chimique, le bicarbonate de soude et le sel. Ajoutez le thym, la ciboulette, le persil et l'ail, puis mélangez bien.

3. Dans un autre récipient, mélangez le yaourt, le lait, les œufs et l'huile. Ajoutez d'un seul coup les ingrédients liquides aux ingrédients secs en même temps que le raifort et la banane plantain et mélangez rapidement.

4. A l'aide d'une cuillère à soupe, versez la pâte de manière égale sur la plaque et laissez cuire jusqu'à ce que les muffins aient levé et soient dorés (20 à 25 minutes). Laissez refroidir sur la plaque 10 minutes, puis placez les muffins sur une grille de cuisson. Servez chaud ou froid.

Muffins au fromage blanc et à la ciboulette

Ces muffins salés composent un délicieux déjeuner léger accompagnés d'une soupe et, pourquoi pas, d'une salade.

Pour 12 muffins

300 g de farine
1/2 cuillerée à café de levure chimique
1/2 cuillerée à café de bicarbonate de soude
1/2 cuillerée à café de sel
4 cuillerées à soupe de beurre ramolli
50 g de sucre brun
1 œuf, légèrement battu
250 g de fromage blanc
50 ml de lait écrémé
3 cuillerées à soupe de ciboulette fraîche hachée

1. Préchauffez le four à 190°. Graissez une plaque à muffins de 12 moules, ou garnissez la plaque de moules en papier.

2. Dans un grand récipient, mélangez la farine, la levure chimique, le bicarbonate de soude et le sel. Dans un autre récipient, battez le beurre et le sucre en crème. Incorporez l'œuf. Ajoutez le fromage blanc et le lait, et mélangez jusqu'à consistance onctueuse. Ajoutez aux ingrédients secs et mélangez rapidement.

3. A l'aide d'une cuillère à soupe, versez la pâte de manière égale sur la plaque et laissez cuire jusqu'à ce que les muffins aient levé et soient dorés (environ 20 minutes). Laissez refroidir sur la plaque 10 minutes, puis placez les muffins sur une grille de cuisson.

Muffins à la saucisse et au fromage

Choisissez des saucisses de la meilleure qualité, car ce sont elles qui donnent leur saveur à ces muffins.

Pour 12 muffins

225 g de saucisse de porc hachée
1 petit oignon râpé
300 g de farine
2 cuillerées à soupe de sucre semoule
1 cuillerée à café de levure chimique
1/2 cuillerée à café de sel
175 ml de lait
1 gros œuf, légèrement battu
4 cuillerées à soupe de beurre fondu
50 g de fromage cheddar râpé

1. Préchauffez le four à 190°. Graissez une plaque à muffins de 12 moules, ou garnissez la plaque de moules en papier.

2. Dans une grande poêle, faites cuire la saucisse à feu vif jusqu'à ce qu'elle soit bien dorée (8 à 10 minutes), en écrasant la viande à l'aide d'une cuillère en bois. Egouttez sur du papier absorbant et mettez de côté. Ajoutez l'oignon dans la poêle et laissez cuire jusqu'à ce qu'il soit ramolli (3 à 4 minutes). Egouttez et mettez de côté.

3. Dans un grand récipient, mélangez la farine, le sucre, la levure chimique et le sel. Dans un autre récipient, mélangez le lait, l'œuf et le beurre fondu. Ajoutez d'un seul coup les ingrédients liquides aux ingrédients secs en même temps que le fromage, la saucisse et l'oignon, puis mélangez rapidement.

4. A l'aide d'une cuillère à soupe, versez la pâte de manière égale sur la plaque et laissez cuire jusqu'à ce que les muffins aient bien levé et soient dorés (environ 20 minutes). Laissez refroidir sur la plaque 10 minutes, puis placez les muffins sur une grille de cuisson. Servez de préférence chaud.

Muffins à l'oignon et à la bière

Cette combinaison improbable donne d'excellents résultats et accompagne idéalement un après-midi de football à la télévision ou un pique-nique estival.

Pour 12 muffins

300 g de farine
2 cuillerées à soupe de sucre semoule
1 cuillerée à café de levure chimique
1 cuillerée à café de sel
1/2 cuillerée à café de poivre noir moulu
1/2 cuillerée à café de poudre d'ail
225 ml de bière, éventée et à température ambiante
125 ml d'huile végétale
1 œuf, légèrement battu
1 petit oignon râpé
1 cuillerée à soupe de feuilles de thym fraîches

1. Préchauffez le four à 200°. Graissez une plaque à muffins de 12 moules, ou garnissez la plaque de moules en papier.

2. Dans un grand récipient, mélangez la farine, le sucre, la levure chimique, le sel, le poivre et la poudre d'ail.

3. Dans un autre récipient, battez ensemble la bière, l'huile, l'œuf, l'oignon et le thym. Ajoutez d'un seul coup les ingrédients liquides aux ingrédients secs et mélangez rapidement.

4. A l'aide d'une cuillère à soupe, versez la pâte de manière égale sur la plaque et laissez cuire jusqu'à ce que les muffins aient levé et soient dorés (environ 25 minutes). Laissez refroidir sur la plaque 10 minutes, puis placez les muffins sur une grille de cuisson. Servez immédiatement.

Muffins aux oignons et au fromage

Ces muffins au goût très salé se marient bien avec les soupes ou les ragoûts.

Pour 12 muffins

4 cuillerées à soupe d'huile végétale
1 gros oignon, coupé en fines tranches
300 g de farine
75 g de fromage cheddar dur, émincé
1 cuilleréc à café de levure chimique
1 cuillerée à café de sel d'oignon
225 ml de lait
2 œufs, légèrement battus

1. Préchauffez le four à 180°. Graissez une plaque à muffins de 12 moules, ou garnissez la plaque de moules en papier.

2. Faites chauffer 1 cuillerée à soupe d'huile dans une poêle, ajoutez l'oignon et laissez cuire à feu moyen jusqu'à ce qu'il soit croustillant et doré (8 à 10 minutes). Egouttez sur du papier absorbant. Une fois refroidi, hachez-le grossièrement.

3. Dans un grand récipient, mélangez la farine, l'oignon frit, le cheddar, la levure chimique et le sel d'oignon. Dans un autre récipient, mélangez le lait, les œufs et le restant d'huile. Ajoutez d'un seul coup les ingrédients liquides aux ingrédients secs et mélangez rapidement.

4. A l'aide d'une cuillère à soupe, versez la pâte de manière égale sur la plaque et laissez cuire jusqu'à ce que les muffins aient levé et soient dorés (15 à 18 minutes). Laissez refroidir sur la plaque 10 minutes, puis placez les muffins sur une grille de cuisson. Servez chaud.

Muffins pizza

Toutes les saveurs d'une pizza condensées dans un petit volume.

Pour 12 muffins

75 ml d'huile d'olive, 65 g de champignons coupés en tranches, 50 g de pepperoni haché , 85 g de jambon haché, 1 oignon moyen, râpé, 150 g de mozzarella râpée
75 g de tomates séchées au soleil, hachées et égouttées si conservées dans l'huile
1 cuillerée à soupe d'ail émincé
1 cuillerée à café d'origan séché
1 cuillerée à soupe de basilic frais haché
2 œufs, légèrement battus
125 ml de lait, 300 g de farine
1 cuillerée à soupe de levure chimique
sel et poivre noir fraîchement moulu

1. Préchauffez le four à 190°. Graissez une plaque à muffins de 12 moules, ou garnissez la plaque de moules en papier.

2. Faites chauffer 1 cuillerée à soupe d'huile dans une poêle, ajoutez les champignons et laissez cuire à feu vif environ 5 minutes, en remuant souvent, jusqu'à ce que les champignons soient dorés et tendres. Mettez de côté et laissez-les refroidir.

3. Dans un grand récipient, mélangez le pepperoni, le jambon, l'oignon, le fromage, les tomates, l'ail, l'origan, le basilic et les champignons refroidis.

4. Dans un autre récipient, mélangez les œufs, le lait et le restant d'huile d'olive. Ajoutez au mélange à base de pepperoni. Assaisonnez bien avec le sel et le poivre.

5. Dans un autre récipient, mélangez la farine et la levure chimique.Ajoutez aux ingrédients secs et mélangez rapidement.

6. A l'aide d'une cuillère à soupe, versez la pâte de manière égale sur la plaque et laissez cuire jusqu'à ce que les muffins aient levé et soient légèrement dorés (20 à 25 minutes). Laissez refroidir sur la plaque 10 minutes, puis placez les muffins sur une grille de cuisson. Servez de préférence chaud.

Muffins au fromage, à la citrouille et aux graines de courge

Craquants et au goût de fromage, ces muffins sont parfaits pour un buffet.

Pour 12 muffins

300 g de farine
1 cuillerée à soupe de levure chimique
1 cuillerée à café de bicarbonate de soude
1 cuillerée à café de sel
100 g de fromage de chèvre ferme grossièrement coupé en cubes
4 cuillerées à soupe de graines de courge grillées
200 g de purée de citrouille, fraîche ou en conserve
175 ml de yaourt nature
2 œufs, légèrement battus
2 cuillerées à soupe d'huile végétale

1. Préchauffez le four à 200°. Graissez une plaque à muffins de 12 moules, ou garnissez la plaque de moules en papier.

2. Dans un grand récipient, mélangez la farine, la levure chimique, le bicarbonate de soude et le sel. Incorporez le fromage de chèvre. Broyez grossièrement 2 cuillerées à soupe de graines de courge et mettez de côté le restant de graines. Incorporez les graines de courge broyées.

3. Dans un autre récipient, battez ensemble la purée de citrouille, le yaourt, les œufs et l'huile. Ajoutez d'un seul coup les ingrédients liquides aux ingrédients secs et mélangez rapidement.

4. A l'aide d'une cuillère à soupe, versez la pâte de manière égale sur la plaque et saupoudrez avec le restant de graines de courge. Laissez cuire jusqu'à ce que les muffins aient levé et soient dorés (20 à 25 minutes). Laissez refroidir sur la plaque 10 minutes, puis placez les muffins sur une grille de cuisson. Servez chaud.

Muffins à l'igname, au piment grillé et à la féta

Pour 12 muffins

1 igname moyenne (ou à défaut 1 patate douce), 1 piment rouge fort
300 g de farine, 1 cuillerée à soupe de levure chimique, 1/2 cuillerée à café de sel
1 gousse d'ail écrasée, 1 cuillerée à café de graines de cumin, grillées et légèrement écrasées, 1 cuillerée à soupe de basilic frais haché, 2 œufs, légèrement battus
225 ml de lait, 50 ml d'huile d'olive, et une petite quantité supplémentaire pour badigeonner le piment, 75 g de féta émiettée

1. Préchauffez le four à 200°. Graissez une plaque à muffins de 12 moules, ou garnissez la plaque de moules en papier.

2. Faites cuire l'igname dans le four préchauffé jusqu'à ce qu'elle soit tendre (environ 30 minutes). Laissez refroidir, puis évidez la chair et réduisez-la en purée. Mettez de côté.

3. A l'aide d'un pinceau, badigeonnez le piment avec un peu d'huile d'olive et passez-le au gril ou sur une flamme jusqu'à ce qu'il soit légèrement brûlé et noirci. Placez-le dans un petit sac en plastique jusqu'à ce qu'il soit suffisamment froid pour être manipulé. Epluchez le piment, en enlevant toute la peau noircie. Coupez-le en deux et enlevez la tige, les graines et les membranes. Hachez finement la chair. Mettez de côté.

4. Dans un grand récipient, mélangez la farine, la levure chimique et le sel. Incorporez l'ail, le cumin et le basilic.

5. Dans un autre récipient, battez les œufs avec le lait, l'huile d'olive et l'igname. Ajoutez d'un seul coup aux ingrédients secs en même temps que le piment. Incorporez la féta émiettée et mélangez rapidement.

6. A l'aide d'une cuillère à soupe, versez la pâte de manière égale sur la plaque et laissez cuire jusqu'à ce que les muffins aient bien levé et soient dorés (20 à 25 minutes). Laissez refroidir sur la plaque 10 minutes, puis placez les muffins sur une grille de cuisson. Servez de préférence chaud.

Muffins au bacon fumé et au bleu

Il est très important de bien égoutter le bacon après l'avoir fait frire, afin qu'il reste croustillant et savoureux.

Pour 12 muffins

300 g de farine
1 cuillerée à soupe de levure chimique
1 cuillerée à café de bicarbonate de soude
1 cuillerée à café de sel
80 g de sucre semoule
1 œuf, légèrement battu
85 ml d'eau
175 ml de lait
environ 10 feuilles de basilic frais, finement hachées
75 g de bleu émietté
65 g de noix hachées

1. Préchauffez le four à 180°. Graissez une plaque à muffins de 12 moules, ou garnissez la plaque de moules en papier.

2. Faites frire le bacon dans une grande poêle jusqu'à ce qu'il soit croustillant. Egouttez-le sur du papier absorbant, en réservant environ 50 ml de graisse (que vous pouvez remplacer par de l'huile végétale). Hachez le bacon, mettez de côté.

3. Dans un grand récipient, mélangez la farine, la levure chimique, le sel et le sucre.

4. Dans un autre récipient, mélangez la graisse de bacon réservée (ou l'huile), l'œuf, l'eau et le lait. Ajoutez d'un seul coup les ingrédients liquides aux ingrédients secs en même temps que le bacon, le basilic, le bleu et les noix, puis mélangez rapidement.

5. A l'aide d'une cuillère à soupe, versez la pâte de manière égale sur la plaque et laissez cuire jusqu'à ce que les muffins aient levé et soient dorés (20 à 25 minutes). Laissez refroidir sur la plaque 10 minutes, puis placez les muffins sur une grille de cuisson. Servez chaud.

Index

Crédits photos

Page 7 © Michelle Garrett/Corbis.
Pages 23, 37, 40, 91 © Becky Luigart Stayner/Corbis.
Page 80 © Eleanor Thompson/Corbis.
Pages 18, 29, 32, 45, 50, 61, 79, 85, 88, 97, 102, 108 © Cephas/Stockfood.
Pages 8, 105 © Oceania News and Features/Anthony Blake Photo Library.
Pages 11, 74 Martin Brigdale/Anthony Blake Photo Library.

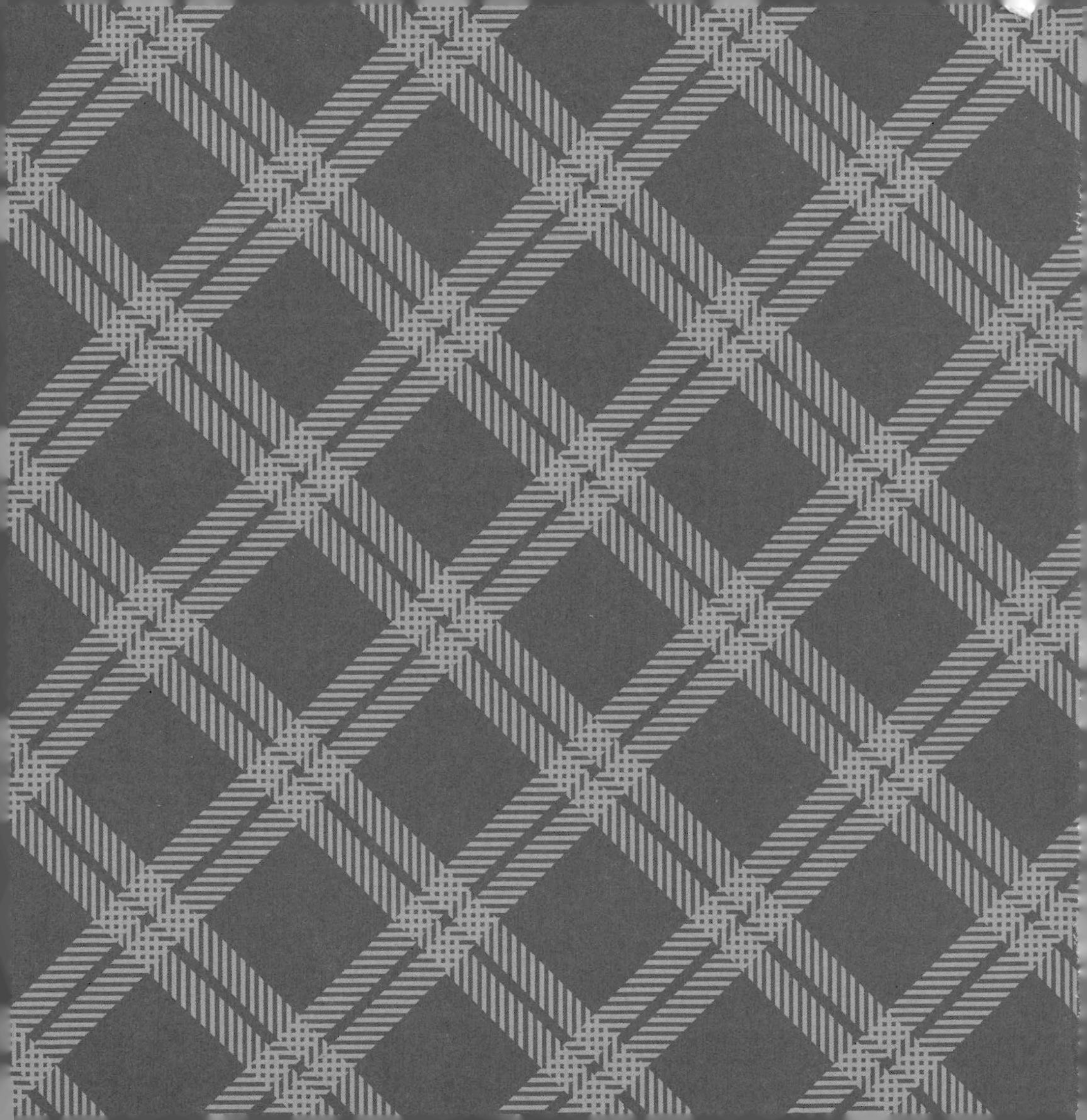